Arriver à St:

En train

→DEPUIS LA GARE CENTRALE

Tramway – Ligne A et D vers centre-ville (stations les Halles, Homme-de-Fer, Grand'Rue, Porte-de-l'Hôpital).
Bus – Ligne 2 vers Observatoire (quartier allemand), Jardin-des-Deux-Rives et Port-du-Rhin.
Ligne 10 vers Lamey, Pont-des-Vosges (quartier allemand) ; dans l'autre sens, vers le musée d'Art moderne, l'hôtel du département (à proximité de la Petite France) et les stations Corbeau, Bateliers et Saint-Guillaume (quartier allemand).
À pied – Comptez 20-30mn pour rejoindre le centre-ville et le quartier de la cathédrale.
En taxi – À droite en sortant de la gare, station de taxi bd de Metz. Comptez 10 € et environ 10mn pour le centre-ville.

En avion

→DEPUIS L'AÉROPORT INTERNATIONAL DE STRASBOURG

www.strasbourg.aeroport.fr
Train – Navettes (TER) pour la gare de Strasbourg. 2,20 € pour un trajet simple. Jusqu'à 4 départs/h. De 5h30 à 22h30 du lundi au vendredi ; samedi, de 6h30 à 22h15 ; dimanche, de 7h45 à 22h20. Comptez 9mn.
Taxi – Environ 30 €. Comptez 15-20mn jusqu'au centre-ville en période creuse, 30mn aux heures de pointe.

D0545403

…, A35 Bâle-Lauterbourg, via Mulhouse, Colmar et Strasbourg ; A5 vers le pont de l'Europe et l'Allemagne ; A352 vers Obernai et Saint-Dié ; A351 vers RN4 Paris-Strasbourg.

→DE LA ROCADE

Voir les accès autoroutiers sur le plan figurant dans le premier rabat.

→PARKINGS

Il existe 8 parkings-relais à Strasbourg. Ces parkings sont associés à des stations de tramway, qui mènent directement au centre-ville. ♿ *Plus d'explications p. 8.*

TRAM ET BUS…
Réseau : 6 lignes de tramway (A, B, C, D, E et F) et 4 lignes de bus (n°s 2, 6, 10 et 30) desservent le centre-ville.
Horaires : 4h30-0h30 (tram). Une rame toutes les 4 à 6 mn dans la journée.
Forfaits les plus intéressants :
Ticket « 24 heures » : accès illimités pendant 24h dans les bus et trams, 4 €.
Ticket « Trio » : accès illimités pendant 24h dans les bus et trams pour 2 à 3 personnes, 5,50 €.

La gare construite en 1883 et agrandie d'une verrière en 2007.

2

R. Mattes/hemis.fr

Destination Strasbourg

Préparez votre voyage
Venir en train, en avion, en voiture
Climat et saisons, Pour en savoir plus   **P4**

Votre séjour de A à Z
Croisières, Cuisine   **P6**
Enfants   **P7**
Handicap, Horaires, Jours fériés,
Marchés, Parkings   **P8**
Poste, Presse, Strasbourg Pass
Taxi, Transports en commun   **P9**
Vélo   **P10**
Véhicules électriques, Visites guidées   **P12**

Agenda culturel
Rendez-vous annuels   **P13**
Événements 2011-2012   **P14**
Expositions temporaires, Galeries d'art   **P15**

3

Préparez votre voyage

Venir en train

Depuis l'arrivée du **TGV Est-européen** en 2007, Strasbourg n'est plus qu'à 2h20 de Paris (environ 15 allers-retours par jour). D'ici à 2014 et la fin des travaux de la ligne à grande vitesse, le temps de trajet devrait passer à 1h50. Il existe aussi des liaisons TGV directes depuis Roissy, Marne-la-Vallée, Massy, Bordeaux, Lille, Nantes et Rennes.
Accès au centre-ville depuis la gare p. 1.

Venir en avion

L'**aéroport international de Strasbourg** est situé à Entzheim, à 12 km au sud-ouest de la ville.
03 88 64 67 67 -
www.strasbourg.aeroport.fr
Air France – 3654 (0,34 €/mn, 6h30-22h) - www.airfrance.fr. Liaisons pour Strasbourg au départ de Bordeaux, Clermont-Ferrand, Lille, Lyon, Marseille, Nantes, Nice, Paris, Rennes, Toulouse. Lignes saisonnières au départ de la Corse.
Accès au centre-ville depuis l'aéroport p. 1.

Venir en voiture

Les cartes Michelin
Carte **Département 315** avec plan de Strasbourg
Carte **Région 516** avec plan de Strasbourg
En ligne : calcul d'itinéraires sur
www.viamichelin.fr
Accès au centre-ville depuis l'aéroport p. 1.

Climat et saisons

Attention, lors des sessions du Parlement européen, les hôtels sont pris d'assaut. Voir les dates sur le site www.europarl.europa.eu, onglet « Activités », puis « Calendrier annuel » *(voir aussi p. 19)*.
Printemps – Le printemps alsacien est lumineux dès le mois d'avril.
Juin à septembre – L'été est souvent chaud, marqué par de nombreux orages. Beaucoup de bars et de restaurants ferment deux à trois semaines fin juillet début août.
Automne – Le brouillard n'est pas rare. Belles couleurs végétales dans les parcs et forêts autour de Strasbourg.
Hiver – Saison froide et sèche, climat continental oblige. Parfois de la neige : très romantique lors du marché de Noël !

Pour en savoir plus

Sur Internet
Strasbourg et communauté urbaine – www.strasbourg.eu
Site généraliste sur Strasbourg – www.strascity.com

Sur place
Office du tourisme de Strasbourg – 17 pl. de la Cathédrale - 67082 Strasbourg Cedex - 03 88 52 28 28 - www.otstrasbourg.fr - tlj 9h-19h. Dans la gare TGV - lun.-sam. 9h-19h, dim. 9h-12h30, 13h45-19h.

4

Votre séjour de A à Z

Croisière

Le centre ancien de Strasbourg forme une île, entourée par une rivière, l'Ill, et par un canal, le fossé du Faux-Rempart. En direction du nord, l'Ill traverse aussi le quartier européen. Strasbourg se prête donc tout à fait à une promenade en bateau.

Toute l'année, la compagnie Batorama propose une intéressante visite de Strasbourg à bord de bateaux-promenades (couverts, ou découverts par beau temps), depuis l'embarcadère situé derrière le palais Rohan, près de la cathédrale.

L'itinéraire qui dure 1h10 permet de découvrir successivement le quartier de la Petite France, le musée d'Art moderne et contemporain, l'ENA et le quartier allemand, avant de pénétrer dans le quartier européen et ses institutions, puis de revenir au point de départ, en flirtant avec le quartier de la Krutenau. Ce circuit donne une bonne impression d'ensemble de la ville. À bord, les commentaires audio par casques individuels sont respectueux de ceux qui préfèrent profiter du spectacle avec leurs seuls yeux.

Batorama – ✆ 03 88 84 13 13 - www.batorama.fr - Réservation conseillée sur le site web, par téléphone ou au guichet, à l'embarcadère - 8,40 € ; 4,20 € +3 ans et étudiant ; gratuit -3 ans et avec Strasbourg Pass (👍 p. 8).

Départs : ttes les 1/2 h du 27 mars au 1er nov., de 9h30 à 21h (22h du 1er mai au 2 oct.) ; 4 dép./j. du 1er janv. au 26 mars et du 2 au 26 nov. ; ttes les 1/2 h. du 27 nov. au 31 déc. (9h30-18h, sf 24, 25 et 31 déc, 9h30-17h). Certains soirs, croisières lounge à bord d'une vedette hollandaise aménagée avec bar, salon et animation musicale « jeune ».

Port autonome – Il n'existe pas à l'heure actuelle de possibilité pour les particuliers de visiter le port autonome de Strasbourg en bateau.

Sur le Rhin – Pas de croisières à la journée non plus au départ de Strasbourg, mais un itinéraire 2 nuits/ 3 jours proposé par le prestataire Croisieurope (👍 p. 98).

Canoë – ✆ 03 88 31 49 00 - www. strasbourg.eauxvives.free.fr. Le club Strasbourg Eaux-Vives propose des sorties encadrées pour des petits groupes : traversée de la ville sur l'Ill ou descente de la rivière au nord de Strasbourg, balade sur l'Aar… Une façon originale de découvrir la capitale alsacienne. Réservation obligatoire, 15 jours avant minimum.

Cuisine

Strasbourg est une des capitales françaises de la gastronomie (👍 p. 110) et la qualité de ses spécialités (choucroute, foie gras, baeckeoffe, tartes flambées…) n'est plus à démontrer. À cela s'ajoutent les vins et les bières d'Alsace, dont la réputation est bien établie. Le repas est donc un moment fort de tout séjour à Strasbourg. Il se déroule parfois dans des lieux « inconnus » ailleurs. Les **winstubs** (littéralement les « pièces du vin ») sont des établissements dont l'origine provient d'anciens bars à vins, petits et sombres, dans lesquels étaient aussi servis, en accompagnement, quelques plats. On appelle désormais *winstub* tout restaurant ancien et traditionnel où l'on déguste, dans un décor typique de boiseries, les spécialités alsaciennes. Les **bierstubs** procèdent de la même origine, mais sont par définition plus portées vers la bière, que certains établissements continuent toujours de brasser (la frontière entre *bierstubs* et *winstubs* est tout de même devenue assez poreuse).

Pour ceux qui voudraient approfondir la gastronomie alsacienne, il existe des stages de cuisine et des séances de découverte des vins locaux :

Cuisine Aptitude – 2 quai des Bateliers - ☎ 03 88 36 11 72 - www.cuisineaptitude.fr. Stages de cuisine pour individuels.

Cave historique des Hospices de Strasbourg – 1 pl. de l'Hôpital - ☎ 03 88 11 64 50 - www.vins-des-hospices-de-strasbourg.fr - Une cave vieille de six siècles et le plus vieux vin en tonneau au monde (1472). Boutique. Dégustations pour les groupes.

Enfants

Nombreux sont les sites qui se prêtent à des visites en famille.

Nature – Le jardin et sa passerelle des Deux Rives (👶 *p. 88*), le Jardin botanique (👶 *p. 76*), le parc de l'Orangerie et son mini-zoo (👶 *p. 90*), le parc de la Citadelle (👶 *p. 91*) ou encore la forêt de la Robertsau (👶 *p. 91*).

Musées – L'horloge astronomique de la cathédrale (👶 *p. 48*), le Musée zoologique de l'université et de la ville (👶 *p. 78*), le planétarium (👶 *p. 76*).

Loisirs – Le Vaisseau (👶 *p. 86*), le Naviscope (👶 *p. 88*).

L'office de tourisme propose un **Strasbourg Pass Junior** qui offre des réductions pour les enfants. Il publie aussi un guide gratuit, **Familiciti**, et un parcours fléché pour découvrir la ville en s'amusant, à l'aide d'un petit carnet à questions : *Familicitirali*. Enfin – initiative astucieuse dans une ville qui se découvre idéalement à pied, des **poussettes cannes** sont mises gratuitement à la disposition des familles.

PAS DE PANIQUE !

Appel d'urgence européen : ☎ 112
Urgences médicales : ☎ 15 (Samu)
Police : ☎ 17
Pompiers : ☎ 18
Médecins 24h/24 : ☎ 03 88 75 75 75 (SOS Médecins).
Pharmacie de garde : ☎ 3237 (Resogardes).
Centre antipoison : ☎ 03 88 37 37 37
Objets trouvés : ☎ 03 88 13 68 00
Perte cartes bancaires : ☎ 0 892 705 705 (0,34 €/mn) On vous y orientera selon votre carte.

Handicap

Les hôtels, restaurants (hélas, très peu nombreux) et scènes de spectacles accessibles aux personnes à mobilité réduite sont recensés sur le site Internet de l'office de tourisme (onglet « Votre séjour »).

L'office propose aussi un itinéraire de visite conçu pour ces personnes ainsi que pour les mal et non-entendants ainsi que les mal et non-voyants accompagnés (dépliant disponible gratuitement).

Horaires

Les horaires d'ouverture des **magasins** et des **banques** sont les mêmes que dans les autres grandes villes françaises, les dimanches, lundis et jours fériés étant comme ailleurs les jours de fermeture des magasins.
Les grandes surfaces et centres commerciaux (**Centre Halles**, **Rivétoile**…) sont ouverts le lundi.

Jours fériés

En plus des jours fériés habituels, les deux départements d'Alsace (et la Moselle) disposent de deux jours fériés supplémentaires : le **Vendredi saint** (vendredi précédant le dimanche de Pâques) et le **26 décembre.**

Marchés

Il y a bien sûr le **marché de Noël** (♿ *p. 111*) qui a lieu durant tout l'avent (de fin novembre au 25 décembre), place Broglie, place de la cathédrale et place du Château.

Mais Strasbourg compte aussi un grand nombre de **marchés hebdomadaires**, qui offrent une manière originale de découvrir la vie locale. Voici une sélection de marchés qui ont lieu le samedi.
De 7h à 13h :
- place de Bordeaux (alimentation) ;
- place du Corps-de-Garde, à Robertsau ;
- place du Marché-aux-Poissons (producteurs).
De 7h à 16h :
- place de l'Étal, place de la Grande-Boucherie et à l'angle de la rue de la Douane (brocante) ;
- place du Marché-Neuf (artisanat).
De 9h à 18h :
- place et rue Gutenberg, rue des Hallebardes (livres) ;
- rue des Grandes-Arcades (fleurs).

Parkings

Vous trouverez sur **www.parcus.com** toutes les informations utiles pour vous garer à Strasbourg. Sachez qu'il existe aussi 8 **parkings-relais** (P + R) associés à des stations de tramway, permettant de garer son véhicule et d'emprunter le réseau des transports en commun. Chaque ligne de tram dispose d'au moins un parking-relais en un point de son parcours.
Renseignements : www.cts-strasbourg.fr
Parking + tram aller-retour : 2,90 €
par voiture (jusqu'à 7 pers.) la journée (3,60 € pour le parking Rotonde).

Poste

La poste principale se situe avenue de la Marseillaise, tout près du musée Tomi-Ungerer – 5 av. de la Marseillaise - ℘ 3631 ou 03 88 52 35 50 - lun.-vend. 8h30-18h30, sam. 8h30-13h.

Presse

Deux quotidiens régionaux se partagent le lectorat strasbourgeois : l'édition Strasbourg des *Dernières Nouvelles d'Alsace* (DNA ; www.dna.fr) et l'édition Strasbourg de *L'Alsace* (www.lalsace.fr). La programmation culturelle et les sorties sont reprises et commentées dans un cahier spécial des *DNA*, chaque samedi.
Le **Strassbuch** est un guide pratique, annuel et gratuit, édité par les étudiants de l'École de management de Strasbourg. Il est disponible à l'office de tourisme et auprès de la mairie.
Enfin, le webzine **www.flux4.com** et le magazine trimestriel **Zut!** (sous-titré « culture, tendances, détours »), distribué gratuitement à Strasbourg et consultable en ligne sur le site de flux4 apportent une mine d'informations sur l'actualité mode, design et culture strasbourgeoise.

Strasbourg Pass

Le Strasbourg Pass est un chéquier qui permet d'accéder gratuitement ou à moitié prix à différents sites, monuments et activités (entrée gratuite dans un musée et à moitié prix dans le second, accès gratuit à la plate-forme de la cathédrale, à une promenade en bateau, à la découverte de l'horloge astronomique, mise à disposition d'un vélo pour une demi-journée…). Nominatif, il coûte 12,40 €. Ce pass, vite amorti, est valable trois jours à compter de sa date d'achat. il est disponible à l'office de tourisme et dans plusieurs hôtels de la ville et des environs.
Pour les enfants de 4 à 18 ans, l'office de tourisme propose aussi le **Strasbourg Pass Junior**. D'un coût de 6,20 € et valable aux mêmes conditions que le précédent, il comprend notamment la visite gratuite des musées, l'entrée à demi-tarif du Vaisseau et la découverte en famille du planétarium à un tarif préférentiel (une entrée gratuite pour une payante).

Taxi

Il vous sera de peu d'utilité, car le réseau de bus et de tramways maille parfaitement le centre-ville.

Compagnie de taxis
Taxi 13 – 30 av. de la Paix - ℘ 03 88 36 13 13.

Transports en commun

La communauté urbaine de Strasbourg exploite, à travers la Compagnie des transports strasbourgeois (CTS), 6 lignes de tramway (A, B, C, D, E et F) et 29 lignes de bus, dont 4 (nos 2, 6, 10 et 30) desservent le centre-ville. Il n'y a pas de métro à Strasbourg.
♿ *plan des lignes de tram au verso du plan détachable.*

9

Horaires

Le **tramway** fonctionne tous les jours de 4h30 à 0h30. La plupart des **bus** fonctionnent de 5h30 à minuit. Une **ligne de nuit** (bus) circule les vendredis et samedis, de 23h30 à 5h30. Elle dessert les lieux de vie nocturne, notamment les Halles, le quartier de la gare, la Krutenau, Neudorf et la Mainau.

Fréquence

Pour le tram, toutes les 4 à 6mn dans la journée, toutes les 15mn en soirée. Fréquence des bus variable selon les lignes et réduite en soirée, mais correspondances assurées avec le tram jusqu'à minuit. Ligne de nuit : un bus par heure.

Titres de transport

Ticket – 1 trajet aller simple bus ou tram avec ou sans correspondance : 1,40 € à l'unité.
Trajet aller-retour : 2,70 € à l'unité.
Carnet – 10 tickets : 12,20 € ; 9,50 € pour les -12 ans et les plus de 65 ans.
Ticket « 24 heures » individuel – 4 €, bus et trams illimités.
Ticket « Trio » – 5,50 €, bus et trams illimités 24h, pour 2 à 3 personnes.
L'achat des titres de transport s'effectue aux distributeurs automatiques des stations de tram (espèces et CB) ou à la boutique CTS de la station de tram Homme-de-Fer (lun.-vend. 8h30-18h30, sam. 9h-17h). Les carnets de tickets sont aussi disponibles aux distributeurs du Crédit mutuel identifiés par l'autocollant **Badgeo,** dans les bureaux de poste et les tabacs-presse, ainsi que chez les commerçants signalés par un autocollant CTS.

Renseignements complémentaires

CTS – ℘ 03 88 77 70 70 ou www.cts-strasbourg.fr

Vélo

« Ville du vélo », Strasbourg est l'une des premières cités en France à avoir développé un réseau de voies cyclables. Près de 500 km de pistes sont accessibles dans le centre-ville et les quartiers adjacents (quartier allemand, quartier européen…) jusqu'aux parcs et forêts, en passant par les rives du Rhin. Les cyclistes bénéficient ainsi d'itinéraires sécurisés dans une des villes les plus plates de France !

Vélhop – La communauté urbaine de Strasbourg a lancé à l'automne 2010 Vélhop, un service de location de vélos. 4 boutiques étaient déjà ouvertes au mois d'octobre, à la gare (galerie de la Grande Verrière, niveau -1), dans le centre ancien (3 r. d'Or), sur le campus universitaire (boutique Campus Esplanade, 23 bd de la Victoire) et à l'hôtel de ville d'Ostwald (au sud de Strasbourg).
Mode d'emploi : la location se fait en boutique (prévoir une pièce d'identité et 150 € pour la caution) ou auprès des bornes automatiques, à l'aide d'une carte bleue.
Tarifs : comptez 1 € pour une heure, 5 € jusqu'à 12 heures et, au-delà, 5 € par tranches de 12 heures jusqu'à 3 jours.
Renseignements : ℘ 09 69 39 36 67 ou www.velhop.strasbourg.eu
Esprit Cycles – Location de vélos (VTC et vélos de ville) - ℘ 03 88 36 18 41 - 18 r. Jacques-Peirotes - Tram ligne A ou D, station Étoile-Bourse - www.espritcycles.com

Le NOUVEAU Guide Vert MICHELIN vous promet des vacances inoubliables !

VOIR QUOI ? EN MILLE ? DÎNER OÙ ?

Véhicules électriques

Écolo'cation – ☎ 03 88 23 17 05 - 25 r. de la Grande-Armée - tram ligne A ou D, station Porte-de-l'Hôpital. Location de scooters électriques et de vélos à assistance électrique.

Éco'Pouss – ☎ 06 34 77 71 16 ou 06 29 08 28 41 - 4 r. Friesé - tram ligne A ou D, station Ancienne-Synagogue - les Halles, ou bus ligne 2, 6 ou 10, arrêt Wilson - www.ecopouss.com. Location de tricycles électriques (jusqu'à 3 personnes).

Visites guidées

À pied

Office du tourisme de Strasbourg – ♿ *Coordonnées p. 4*

Avec un guide-conférencier (sur réservation) - Visite de la cathédrale et de la vieille ville, depuis l'office de tourisme - env. 1h30 - 6,80 € adultes ; 3,40 € 12-18 ans, étudiants et détenteurs du Strasbourg Pass.

Avec un audio-guide - Visite de la cathédrale et de la vieille ville, depuis l'office de tourisme - env. 1h30 - 5,50 € adultes ; 3,50 € 12-18 ans, étudiants et détenteurs du Strasbourg Pass. Caution : 100 € et une pièce d'identité.

En tricycle électrique

Éco'Pouss – ☎ 06 34 77 71 16 ou 06 29 08 28 41 (voir « Véhicules électriques »). Balade découverte avec chauffeur du quartier allemand ou de la Petite France (30mn, 15 €). Grande balade découverte (vieille ville, cathédrale, quartier allemand, Petite France, quartier européen, parc de l'Orangerie) de 2h (50 €). 1 à 2 personnes maximum.

En petit train

Minitram-CTS – ☎ 03 88 77 70 70 - www.strasbourg-cts.fr - tlj du 18 mars au 3 nov. (sauf le 1er Mai) - 5,40 € (2,80 € 4-8 ans). Promenade d'environ 40mn à travers le centre-ville et jusqu'à la Petite France. Départ place du Château.

En bateau-mouche

Batorama – ☎ 03 88 84 13 13 - www.batorama.fr. ♿ *« Croisière » p. 6.*

En taxi

Taxi 13 – 30 av. de la Paix - ☎ 03 88 36 13 13 - - 40 € (1 à 4 personnes). Balade commentée de 1h, de jour comme de nuit (cassette audio).

En Segway

SK Productions – ☎ 06 08 80 16 59 - www.skproductions.fr - à partir de 20 €. Balade accompagnée en gyropode dans les rues de Strasbourg.

Agenda culturel

Strasbourg est-elle une ville culturelle ? Assurément, oui, si l'on se réfère au nombre de scènes, spectacles, festivals, foires et autres manifestations organisées dans la cité. Seulement, la capitale alsacienne ne le fait peut-être pas assez savoir au reste du pays ! Elle n'accueille pas non plus d'événement artistique populaire de portée internationale qui pourrait « installer » une image culturelle indélébile auprès du grand public. Restent l'exceptionnel marché de Noël, l'Opéra et le Théâtre national du Rhin et une foule d'animations qui en font quand même, indiscutablement, une cité à vivre tout au long de l'année.

Pour les infos culturelles et les loisirs, deux sites Internet précis et précieux :
- www.wik-lesite.fr : cinéma, culture, loisirs ;
- www.spectaclespublications.com : spectacles et sorties.

Voir aussi la presse strasbourgeoise, notamment le magazine *Zut !* (👆 p. 9).

La Boutique de la culture – *10 pl. de la Cathédrale -* 🖉 *03 88 23 84 65 - www. strasbourg.eu (cliquer sur « la semaine de la boutique culture »).* Située juste en face de la façade principale de la cathédrale, cette « boutique de la culture » diffuse le programme hebdomadaire des principales institutions culturelles à Strasbourg et dans les environs et fait office de centrale de réservations.

Rendez-vous annuels

Sont présentés ici les grands festivals de Strasbourg ainsi que les fêtes et manifestations incontournables.

FÉVRIER
➔**Carnaval** – Dans la cité ancienne - 🖉 03 88 60 97 14 - www.strasbourg.eu
➔**Puces-brocante** – Parc des expositions du Wacken - www.strasbourgmeeting.com

MARS
➔**Festival des Giboulées de la marionnette** – Au Théâtre Jeune Public (TJP) - www.theatre-jeune-public.com
➔**Le Printemps des Bretelles** – Illkrich-Graffenstaden - www. printempsdesbretelles.com. Festival des accordéons du monde.

AVRIL
➔**Festival des Artefacts** – Zénith de Strasbourg - www.artefact.org. Concerts de musique actuelle.
➔**Puces-brocante** – Parc des expositions du Wacken - www.strasbourgmeeting.com

MAI
➔**Courses de Strasbourg Europe** – Au Wacken - www.ods67.com. 5 km, 10 km, semi-marathon et marches sportives à travers la ville.

JUIN
➔**Festival de musique** – Palais de la musique et des congrès - www.festival-strasbourg.com. Musique classique.

JUIN-JUILLET

➔**Foire de la Saint-Jean** – Jardin des Deux Rives - www.strasbourg.eu. Grande fête foraine, qui fêtera sa 600e édition en 2013.

JUILLET

➔**Food Culture** – Centre-ville - www.culture-food.eu. Festival des cultures et saveurs d'Europe, 4e édition en 2011.

JUILLET-AOÛT

➔**« L'été à Strasbourg »** – www.ete.strasbourg.eu. Programme d'animations musicales, sportives et festives dans toute la ville.

➔**« Les Arts dans la rue »** – Centre-ville - www.strasbourg.eu/www.ete.strasbourg.eu. Spectacles gratuits d'artistes de rues.

➔**Illumination de la cathédrale** – Chaque soir, à partir de 22h - www.strasbourg.eu

SEPTEMBRE

➔**Foire européenne** – Parc d'expositions du Wacken - www.foireurop.com. Plus de 1 000 exposants, représentant tous les secteurs d'activité.

➔**Les Nuits électroniques de l'ososphère** – Quartier de la Laiterie - www.ososphere.org. Musique électronique.

➔**Musica 2011** – Cité de la musique et de la danse - www.festival-musica.org. Festival des musiques d'aujourd'hui.

➔**Puces-brocante** – Parc des expositions du Wacken - www.strasbourgmeeting.com

OCTOBRE

➔**Les Nuits européennes** – Dans différents lieux à Strasbourg et alentour -

www.lesnuits.eu - musiques du monde, rock, soul, funk, chanson…

➔**Festival international d'humour « Drôles de Zèbres »** – Palais des fêtes de Strasbourg - www.fihdz.com

➔**Mondial de la Bière Strasbourg-Europe** – Parc des Expositions du Wacken - www.festivalmondialbiere.qc.ca. Version européenne du Mondial de la bière de Montréal, la manifestation, lancée à Strasbourg en 2009, semble s'y être installée durablement.

NOVEMBRE

➔**Festival de jazz « Jazzdor »** – En différents lieux à Strasbourg - www.jazzdor.com

➔**Puces-brocante** – Parc des expositions du Wacken - www.strasbourgmeeting.com

➔**St-Art** – Parc des expositions du Wacken - www.st-art.com. Foire d'art contemporain

NOVEMBRE-DÉCEMBRE

➔**Marché de Noël** – Centre-ville - www.strasbourg.eu. L'événement populaire de l'année à Strasbourg (marché, illuminations, grand sapin, expositions, crèche et concerts). Il a fêté en 2010 son 440e anniversaire.

Événements 2011

🕭 *Presse p. 9*
➔**Exposition « Strasbourg-Argentorate, un camp légionnaire sur le Rhin (1er-4e s. apr. J-C) »** – Musée archéologique - jusqu'au 31 août 2011 - www.musees-strasbourg.org

→**Exposition « Madagascar ou l'extraordinaire diversité du 6e continent »** – Musée zoologique - jusqu'au 31 août 2011 - www.musees-strasbourg.org

→**Exposition « Franck Scurti, artiste plasticien »** – Musée d'Art moderne et contemporain - 15 avril-28 août 2011 - www.musees-strasbourg.org

→**Exposition « Le goût de la nature. Le paysage dans les collections des Musées de Strasbourg »** – Musée des Beaux-Arts - à partir du 24 mars 2011 - www.musees-strasbourg.org

→**Opéra *L'Enlèvement au Sérail*** – Opéra national du Rhin - plusieurs dates du 11 au 21 mai 2011 - www.operanationaldurhin.eu

→**Opéra *Hamlet*** – Opéra national du Rhin - plusieurs dates du 19 au 28 mai 2011 - www.operanationaldurhin.eu

→**Exposition « Ogres, brigands et compagnie » - Livres pour enfants** – Musée Tomi-Ungerer - avril-juil. 2011 - www.musees-strasbourg.org. Exposition d'œuvres de l'artiste provenant des États-Unis.

→**Exposition autour du thème de la satire** – Musée Tomi-Ungerer - fin août-déb. nov. 2011 - www.musees-strasbourg.org

→**Exposition-événement « Tomi Ungerer et les maîtres »** – Musée Tomi-Ungerer - à partir de nov. 2011 - www.musees-strasbourg.org. À l'occasion des 80 ans de l'artiste.

Expositions temporaires

♿ *Voir ci-dessus quelques grandes expositions prévues à Strasbourg.*

Les expositions temporaires ont principalement lieu dans les différents musées de la ville, en particulier le musée des Beaux-Arts, le Musée archéologique et le musée d'Art moderne et contemporain. La **galerie Heitz**, dans le palais Rohan, héberge aussi à intervalles réguliers des expositions, des rétrospectives et des événements artistiques temporaires. Autre lieu d'expositions : les **Archives de la Ville et de la communauté urbaine de Strasbourg** (32, rte du Rhin - tram lignes C ou D, station Jean-Jaurès - ✆ 03 88 43 67 00 - www.archives.strasbourg.fr Enfin, l'**hôtel du département** (place du Quartier-Blanc - tram ligne B ou C, station Musée-d'Art-moderne-et-contemporain ; bus ligne 10, arrêt Hôtel-du-Département - ✆ 03 88 76 67 67 - www.bas-rhin.fr) est parfois l'hôte d'expositions artistiques et photographiques.

Galeries d'art

Strasbourg compte une dizaine de galeries, disséminées dans le centre ancien. L'une des plus en vue est la **galerie Chantal Bamberger** (16 r. du 22-Novembre - tram ligne A ou D, station Grand'Rue - ✆ 06 10 26 12 52 - www.galerie-bamberger.com), réputée pour ses expositions de peintures. Nous recommandons aussi la **Galerie Brûlée** (6 rue Brûlée - ✆ 03 38 21 04 04 - www.galeriebrulee) et ses expositions thématiques rassemblant peintures et sculptures de différents artistes.

15

Le kougelhopf, une spécialité alsacienne.

Nos adresses

Se loger   P18
Se restaurer   P22
Prendre un verre P28
Sortir   P32
Shopping   P35

17

Se loger

La plupart des hôtels se concentrent dans la cité ancienne, la « Grande Île », délimitée par la rivière, l'Ill et le canal du Faux-Rempart), ou à proximité immédiate (autour de la gare, dans le quartier allemand). Il est donc toujours très facile de visiter la ville à pied depuis son lieu d'hébergement.

Repérez les adresses sur le plan détachable (dernier rabat de couverture) grâce aux pastilles numérotées (ex. ❶). Les numéros et lettres en rouge ci-dessous désignent les coordonnées de ce même plan.

Nos tarifs correspondent au prix minimal d'une chambre double en haute saison.

La haute saison correspond aux périodes des sessions parlementaires et du marché de Noël.

Autour de la cathédrale

JUSQU'À 80 €

❶ **EtC Hôtel** – **C6** - 7 rue de la Chaîne - ☎ 03 88 32 66 60 - www.etc-hotel. com - 35 ch. - tram ligne A ou D, station Grand'Rue. Au calme, bien qu'il soit situé en plein centre, entre la cathédrale et la Petite France, cet hôtel original de style contemporain propose des chambres sobres et, pour certaines, spacieuses. Les décors déclinent quatre thèmes en fonction des différents étages : « Métal urbain », « Terre et Brume », « Ciel et Eau », « Soleil et Feu ». En très haute saison, les prix peuvent grimper jusqu'à 90 €. Wi-fi gratuit.

DE 80 À 110 €

❷ **Hôtel du Dragon** – **C7** - 2 r. de l'Écarlate - ☎ 03 88 35 79 80 - www.dragon.fr - 32 ch. - tram ligne A ou D, station Porte-de-l'Hôpital ou bus ligne 10, arrêt Saint-Nicolas. À 10mn à pied de la cathédrale et de la Petite France, de l'autre côté de l'Ill. Demeure du 17e s., tournée vers une courette tranquille. Intérieur résolument contemporain : camaïeu de gris, meubles design, chambres au style épuré, expositions d'art.

❸ **Hôtel Gutenberg** – **C6** - 31 r. des Serruriers - ☎ 03 88 32 17 15 - www. hotel-gutenberg.com - 42 ch. - tram ligne A ou D, station Grand'Rue. Ce bâtiment de 1745 accueille des chambres hétéroclites et plutôt spacieuses. Quelques chambres sont aménagées, de manière originale, sous les combles. Également 16 chambres Privilège, plus contemporaines, jusqu'à 135 € en haute saison. La salle des petits-déjeuners est éclairée par une verrière. Wi-fi gratuit.

DE 110 À 170 €

❹ **Hôtel Cardinal de Rohan** – **D6** - 17 r. du Maroquin - ☎ 03 88 32 85 11 - www.hotel-rohan.com - 36 ch. - tram ligne A ou D, station Grand'Rue. L'hôtel est situé près de la cathédrale, en plein secteur piétonnier. Chambres meublées de façon bourgeoise (styles Louis XV, Louis XVI ou rustique). Beaux produits au petit-déjeuner. D'autres chambres, plus petites, sont proposées autour de 75 €. Wi-fi gratuit.

Place Kléber - Place Broglie

JUSQU'À 80 €

❻ **Hôtel Le Kléber** – *C5 - 29 pl. Kléber - ✆ 03 88 32 09 53 - www.hotel-kleber.com - 30 ch. - tram ligne A, B, C ou D, station Homme-de-Fer.*
Ce bel hôtel dispose de chambres confortables (jusqu'à 83 € en haute saison) aux noms « sucrés ». Laissez-vous séduire : Macaron, Puits d'Amour, Amaretti, Mirabelle, Fraise, Cannelle, Caramel et Chocolat vous attendent. Wi-fi gratuit.

La Petite France

DE 80 À 110 €

❽ **Hôtel Pax** – *B6 - 24 r. du Fg-National - ✆ 03 88 32 14 54 - www.paxhotel. com - 106 ch. - tram ligne B ou C, station Faubourg-National.* À 5 mn à pied du quartier de la Petite France, par le pont National, cet hôtel longe une rue où ne circule que le tramway. Chambres en grande partie rénovées et bien tenues. Wi-fi gratuit

DE 110 À 170 €

❾ **Hôtel Chut…** – *B6 - 4 r. du Bain-aux-Plantes - ✆ 03 88 32 05 50 - www. hote-strasbourg.fr - 8 ch. - tram ligne A ou D, station Grand'Rue.* Au cœur de la Petite France, voici un hôtel « concept » d'architecte qui allie rusticité et ambiance contemporaine, dans une version intimiste et *arty* qui plaira aux épicuriens « branchés ». L'établissement est aménagé dans une maison ancienne, avec jardin intérieur et restaurant. Une adresse récente et raffinée.

PLUS DE 170 €

❿ **Hotel Regent Petite France** – *C6 - 5 r. des Moulins- ✆ 03 88 76 43 43 - www. regent-hotels.com - 72 ch. - tram ligne A ou D, station Grand'Rue.* Un hôtel de luxe version contemporaine, idéalement situé au cœur du quartier emblématique de Strasbourg. Bar, restaurant gastronomique, terrasse d'été… : parfait pour s'offrir une « petite folie » dans la capitale alsacienne. Wi-fi gratuit.

Krutenau

JUSQU'À 80 €

⓫ **Hôtel de l'Ill** – *D6 - 8 r. des Bateliers - ✆ 03 88 36 20 01 - www.hotel-ill. com - 27 ch. - Fermé 30 déc.-10 janv. - bus ligne 10, arrêt Bateliers.* Dans cet hôtel rénové, situé à deux pas de l'Ill, règne une ambiance familiale. Les chambres, de tailles variées, sont d'une propreté exemplaire. Certaines coûtent jusqu'à 93 € en haute saison. Salle des petits-déjeuners de style alsacien avec pendule à coucou. Wi-fi gratuit.

SESSIONS PARLEMENTAIRES

Attention ! Lors des sessions plénières du Parlement européen, organisées chaque mois, tous les hôtels, même les moins chers, sont pris d'assaut par les parlementaires. Calendrier des sessions et des commissions : voir www.europarl. europa.eu
(onglet « Activités » puis « Calendrier annuel »).

NC manque pastille

⑫ **Hôtel Aux Trois Roses** – E6 - 7 r. de Zurich - ℘ 03 88 36 56 95 - www. hotel3roses-strasbourg.com - 32 ch. - bus ligne 10 ou 30, arrêt Saint-Guillaume. Couettes moelleuses et meubles en pin équipent les chambres calmes (certaines sont climatisées) de cet élégant immeuble posé au bord de l'Ill. Espace de remise en forme, sauna, Jacuzzi. Wi-fi gratuit.

DE 110 À 170 €

⑬ **Hôtel Beaucour** – D7 - 5 r. des Bouchers - ℘ 03 88 76 72 00 - www. hotel-beaucour.com - 49 ch. - tram ligne A ou D, station Porte-de-l'Hôpital. Quel délice ! Cet hôtel installé dans plusieurs maisons anciennes plaira aux amateurs d'adresses de charme. Sa cour fleurie, ses chambres cosy, son cadre chaleureux décoré de meubles régionaux… tout ici devrait les séduire. Accueil aimable que les familles apprécieront particulièrement.

PLUS DE 170 €

⑭ **Cour du Corbeau** – D7 - 6-8 r. des Couples - ℘ 03 90 00 26 26 - www. cour-corbeau.com - 57 ch. - tram A ou D, station Porte-de-l'Hôpital. Dans une ruelle tranquille, en retrait du quai des Bateliers, un hôtel de luxe ouvert il y a deux ans dans une maison classée du 16ᵉ s., remarquable par sa galerie couverte en bois. Toutes les chambres sont différentes (certaines sont mansardées), avec une décoration classico-contemporaine réussie et un très grand niveau de confort. Jardin d'hiver. Wi-fi gratuit.

Dans le quartier allemand

DE 80 À 110 €

⑮ **Hôtel Couvent du Franciscain** – C4 - 18 r. du Fg-de-Pierre - ℘ 03 88 32 93 93 - www.hotel-franciscain.com - fermé dernière semaine de juillet et première semaine d'août - 43 ch. - tram ligne A ou D, station Ancienne-Synagogue - les Halles. Au fond d'une impasse, en marge du quartier allemand et proche du palais de justice, hôtel assurant un hébergement simple et confortable. Salon lumineux, petits-déjeuners dans un caveau aux faux airs de *winstub* (fresque amusante). Wi-fi gratuit.

Du côté des parcs

DE 110 À 170 €

⑯ **Hôtel des Princes** – G4 - 33 r. Geiler - ℘ 03 88 61 55 19 - www.hotel-princes. com - fermé 25 juil.-22 août et 2-10 janv. - 43 ch. - tram ligne C ou E, station Observatoire ou bus ligne 2, arrêt Tauler. Accueillant hôtel installé dans un quartier résidentiel calme, entre le Jardin botanique et le parc de l'Orangerie. Chambres au mobilier classique ; grandes salles de bains. Petit-déjeuner servi dans un décor de fresques bucoliques.

Chambre en duplex à l'hôtel Regent Petite France (voir p. 19)

Hôtel Regent Petite France

Se restaurer

La gastronomie à Strasbourg est une sorte de religion et l'on mange généralement bien partout. Dans la cité ancienne, vous n'aurez aucun mal à trouver des restaurants « typiquement alsaciens » avec tables nappées et rideaux aux fenêtres. Ils pullulent autour de la cathédrale… D'autres adresses, plus contemporaines, à la cuisine inventive, ont aussi pignon sur rue. Bref, il y a de quoi satisfaire toutes les envies. **Attention** ! Entre la fin du mois de juillet et la troisième semaine d'août, de nombreux restaurants sont fermés. *Repérez les adresses sur le plan détachable grâce aux pastilles numérotées (ex. ❶). Les numéros et lettres en rouge ci-dessous renvoient à ce même plan.*
❧ « Prendre un verre » p. 28 : certaines adresses servent des repas légers, parfaits pour déjeuner rapidement.

Autour de la cathédrale

→DÉJEUNER

JUSQU'À 16 €

❶ **Pommes de Terre et Cie** – D6-7 - *4 r. de l'Écurie - ☎ 03 88 22 36 82 - www. pommes-de-terre-cie.com - tlj 12h-14h, 19h-22h - tram ligne A ou D, station Grand'Rue ou Porte-de-l'Hôpital.* Pour changer de la choucroute, un restaurant convivial proposant des assiettes garnies de pommes de terre en robe des champs accompagnées de viandes, poissons ou fromages. Décor de couleurs vives. Produits du terroir.

DE 16 À 30 €

❷ **Petit Ours** – D7 - *3 r. de l'Écurie - ☎ 03 88 32 13 21 - www.resto-petitours. fr - tlj 12h-14h, 19h-22h - tram ligne A ou D, station Grand'Rue ou Porte-de-l'Hôpital.* Adresse fort sympathique que ce restaurant décoré aux couleurs de la Toscane. La salle éclairée de grandes baies vitrées et le caveau sont tous deux très plaisants. Chaque plat (viande ou poisson) a pour thème une herbe ou une épice. Bon à savoir : formule à moins de 12 €.

❸ **L'Ancienne Douane** – D6 - *6 r. de la Douane - ☎ 03 88 15 78 78 - www.anciennedouane.fr - tlj 12h-14h, 19h-22h - tram ligne A ou D, station Grand'Rue ou Porte-de-l'Hôpital.* Cette immense brasserie est une institution qui sert des plats typiques et généreux. Aux beaux jours, jolie terrasse donnant sur le quai Saint-Nicolas et le Musée alsacien vous accueillera. Remarquable « choucroute des douaniers ». Dommage que l'accueil soit parfois un peu « fatigué ».

DE 30 À 50 €

❹ **Le Cornichon Masqué** – D6 - *17 pl. du Marché-Gayot - ☎ 03 88 25 11 34 - tlj sf dim. - tram ligne A ou D, station Grand'Rue.* Située sur la célèbre place du Marché-Gayot, cette adresse ne vous soulagera pas moins le portefeuille que les autres, mais elle a pour elle une qualité de service et de table réconfortante. Cuisine française. Attention à bien vous faire expliquer le principe du vin au pichet (c'est le prix du verre multiplié…). Très touristique, certes, mais au moins aurez-vous sacrifié au rituel qui consiste à manger sur cette place !

→ DÎNER

JUSQU'À 16 €

⑤ Flam's – D5 - *29 r. des Frères - ☎ 03 88 36 36 90 - www. flams.fr - tlj 11h-24h - tram ligne A ou D, station Grand'Rue*. Près de la place du Marché-Gayot, maison à colombages abritant un restaurant spécialisé dans les *flammekueches*. Les trois salles et les deux caveaux, relookés, affichent de belles couleurs vives. N'oubliez pas de jeter un coup d'œil au plafond peint, vestige du 15e s. Il est conseillé de réserver le week-end.

⑥ Pfifferbriader – D6 - *6 pl. du Marché-aux-Cochons-de-Lait - ☎ 03 88 32 15 43 - winstub. pfifferbriader@wanadoo.fr - lun.-sam. (tlj en déc.) 10h-23h - fermé fin nov. - tram ligne A ou D, station Grand'Rue ou Porte-de-l'Hôpital*. On se sent tout de suite bien dans ce restaurant alsacien typique, avec son plafond bas, ses poutres patinées, ses boiseries et ses vitraux ornés de scènes viticoles. Au menu, goûteuses spécialités régionales – escargots, choucroutes, baeckeoffe – et plats plus classiques, tous élaborés avec des produits frais. Bon choix de vins locaux.

DE 16 À 30 €

⑦ Le Pigeon – D6 - *23 r. des Tonneliers - ☎ 03 88 32 31 30 - ouv. tlj sf dim. soir, mar. soir et lun., 1 sem. en juin, 1 sem.* en janv. - *tram ligne A ou D, station Grand'Rue*. Cette *winstub* typique qui doit son nom aux deux pigeons sculptés sur sa façade occupe l'une des plus anciennes demeures de Strasbourg (1580). L'escalier en bois, classé, vaut le coup d'œil. Décor et cuisine sont fidèles à la tradition alsacienne.

⑧ Aux Armes de Strasbourg – D6 - *9 pl. Gutenberg - ☎ 03 88 32 85 62 - tlj midi et soir - tram ligne A ou D, station Grand'Rue*. Située au cœur de la vieille ville, cette brasserie au cadre authentique et pittoresque sert une cuisine chaude non-stop de 11h30 à 24h. *Presskopf*, salade brasserie (cervelas-gruyère), choucroute, jambonneau grillé, *baeckeoffe*.

⑨ Le Tire-Bouchon – D6 - *7 r. Maroquin - ☎ 03 88 22 16 32 - www. letirebouchon.fr - tlj 11h30-15h, 18h-24h - tram ligne A ou D, station Grand'Rue*. Enseigne vérité : on vient ici pour faire bonne chère ! Le décor modernisé dénote par rapport aux autres *winstubs*, mais l'assiette reste traditionnelle à souhait. La formule déjeuner commence à 9,50 €.

⑬ Le Coin des Pucelles – D5 - *12 r. des Pucelles - ☎ 03 88 35 35 14 - mar.-sam. 18h30-1h - tram ligne B, C ou E, station République*. Encore une *winstub* ! Celle-ci décline la choucroute traditionnelle en plusieurs versions, dont une étonnante choucroute au canard. Autre intérêt : on y sert jusqu'à une heure avancée de la soirée. Mieux vaut néanmoins réserver.

23

NC : manque pastille

DE 30 À 50 €

⑩ Le Clou – D 6 - 3 r. du Chaudron - ℰ 03 88 32 11 67 - www.le-clou.com - tlj sf merc. midi, dim. et jours fériés, fermé fin juil.-déb. août - tram ligne A ou D, station Grand'Rue. À proximité de la cathédrale, décor traditionnel (esprit maison de poupée à l'étage) et bonne humeur caractérisent cette authentique et fameuse *winstub* à la cuisine généreuse. Formule déjeuner à 15 €.

⑪ La Table de Christophe – D5 - 28 rue des Juifs - ℰ 03 88 24 63 27 - www.tabledechristophe.com - tlj sf lun. (ouv. en déc.) et dim. - tram ligne B, C ou E, station République. Petit restaurant de quartier au cadre simple et rustique, propice à la convivialité. Le chef mélange les influences terroir et actuelles tout en respectant les saisons. Foie gras, fricassée d'escargots, suprême de sandre rôti sur choucroute…En semaine, formule déjeuner à 11,90 €.

⑫ S'Burjerstuewel - Chez Yvonne – D6 - 10 r. du Sanglier - ℰ 03 88 32 84 15 - www.chez-yvonne.net - tlj 12h-14h15, 18h-24h - tram ligne A ou D, station Grand'Rue. Atmosphère chic dans cette *winstub* devenue une institution (photos et dédicaces de stars à l'appui). On y mange au coude à coude des plats régionaux et dans l'air du temps.

Place Kléber - Place Broglie

➔DÉJEUNER

JUSQU'À 16 €

⑭ L'Épicerie – C6 - 6 r. du Vieux-Seigle - ℰ 03 88 32 52 41 - www.lepicerie-strasbourg.com - tlj - tram ligne A ou D, station Grand'Rue. Un « bistrot à tartines » décontracté et un rien branché. Dans un décor réussi d'épicerie à l'ancienne, on grignote une soupe, une salade ou l'une des succulentes tartines garnies de mélanges aussi réussis que pruneaux à la fourme d'Ambert ou dinde aux légumes croquants.

La Petite France

➔DÉJEUNER

JUSQU'À 16 €

⑮ Poêles de carottes – C6 - 2 pl. des Meuniers - ℰ 03 88 32 33 23 - tlj sf dim. et lun. - tram ligne A ou D, station Grand'Rue. Sur une place tranquille et assez moderne, en retrait des bords de l'Ill, un « végétarien » dans l'air du temps. Salades, pâtes, gratins et pizzas sont servis en terrasse aux beaux jours.

⑯ S'Thomas Stuebel – C6 - 5 r. du Bouclier - ℰ 03 88 22 34 82 - tlj sf dim. et lun. - tram ligne A ou D, station Grand'Rue. Une authentique *winstub* à deux pas de la Petite France, avec nappes à carreaux, comptoir en bois et vaisselle alsacienne aux murs. Au déjeuner, formule intéressante à 9,90 € (insistez pour l'obtenir…), dans la plus pure tradition alsacienne. Un bémol : l'accueil gouailleur est vite fatigant…

DE 16 À 30 €

⑰ Art Café (au musée d'Art moderne et contemporain) – B6 - 1 pl. Hans-Jean-Arp - ℰ 03 88 22 18 88 - www-artcafe-restaurant.com - sept-mai : tlj sf lun. à midi, juin-août : ouv. tlj sauf lun. midi et soir ; fermé j. fériés, 1er janv., 1er Mai., 25 déc. - tram ligne B ou C, station

L'enseigne du restaurant Buerehiesel (voir p. 27)

24

Musée-d'Art-moderne. Difficile de trouver plus belle vue sur Strasbourg que depuis la terrasse de ce restaurant installé au premier étage du musée d'Art moderne et contemporain, près du quartier de la Petite France. Intérieur très design, à l'image des lieux et cuisine au goût du jour. Brunchs le dimanche.

L'Ami Schutz – B6 -
⑱ *1 Ponts-Couverts - ☎ 03 88 32 76 98 - www.ami-schutz.com - tlj, fermé vac. de Noël - tram ligne B ou C, stations Musée-d'Art-moderne ou Faubourg-National.* Entre les bras de l'Ill, *winstub* typique à l'ambiance chaleureuse ; la plus petite des deux salles offre plus de charme. Terrasse ombragée de tilleuls.

→DÎNER
DE 16 À 30 €
⑲ **La Choucrouterie – C7 -**
20 r. St-Louis - ☎ 03 88 36 52 87 - www.choucrouterie.com - tlj 12h-14h, 18h30-23h, fermé sam. et dim. midi et trois premières semaines d'août - bus 10, arrêt Saint-Thomas. Proche du quartier de la Petite France, ce relais de poste du 18e s. fut la dernière fabrique de chou en saumure de Strasbourg : dans un décor de bric et de broc, on ripaille et on rit à la fois... Repas animés, dîners-spectacles, à vous de choisir. Autour des menus alsaciens ou d'un verre de blanc. Réservation conseillée le soir.

⑳ **La Corde à Linge – C6 -** *2 pl. Benjamin Zix - ☎ 03 88 22 15 17 - www.lacordealinge.com - tlj, 11h45-23h - tram ligne A ou D, station Grand'Rue.* Un emplacement « royal » sur une petite place ombragée avec terrasse, au bord

de l'Ill. Déco rustico-comtemporaine et cuisine éclectique, tendance alsacienne revisitée (spätzle, hamburgers...)

Krutenau

→DÉJEUNER
JUSQU'À 16 €
㉑ **Au Renard Prêchant – E6 -** *34 r. de Zurich - ☎ 03 88 35 62 87 - ouv. tlj sf sam. midi, dim. et j. fériés - bus ligne 30, arrêt Krutenau.* Dans une zone piétonne, cette chapelle du 16e s. doit son nom aux peintures murales qui la décorent et racontent l'histoire du renard prêchant... Une légende à découvrir dans la salle rustique. Jolie terrasse en été et formule déjeuner intéressante.

DE 16 À 30 €
㉒ **Fleur de Sel – D6 -** *22 quai des Bateliers - ☎ 03 88 36 01 54 - tlj sf dim. et lun. midi, fermé 1re sem. de janv., une sem. fin mars et 3 sem. en août - bus ligne 10, arrêt Bateliers.* Au bord de l'eau, face au palais Rohan, dans un cadre contemporain, on vous servira à midi une cuisine de bistrot et du marché. Plus cher le soir.

→DÎNER
JUSQU'À 16 €
㉓ **Au Pont du Corbeau – D7-** *21 quai St-Nicolas - ☎ 03 88 35 60 68 - corbeau@ reperes.com - tlj sauf sam. et dim. midi (sf en déc.) - formule déj. 12 € - tram ligne A ou D, station Porte-de-l'Hôpital.* Sur les quais de l'Ill, jouxtant le Musée alsacien et proche de la Krutenau, maison réputée dont le cadre s'inspire du style Renaissance régional. Plats de terroir.

DE 16 À 30 €

㉔ **La Taverne du Sommelier** – E6 - 3 ruelle de la Bruche - ℘ 03 88 24 14 10 - ouv. tlj sf sam. et lun. midi et dim. - bus ligne 30, arrêt Krutenau. Une adresse confidentielle, comme on les aime. La décoration – murs jaunes et lithographies – cultive le charme intimiste. La cuisine suit le rythme des saisons. La carte des vins honore le Languedoc et la vallée du Rhône.

Dans le quartier européen

→DÉJEUNER

DE 16 À 30 €

㉕ **Chez Franchi** – G2 - 8 av. de l'Europe - ℘ 03 88 36 34 34 - ouv. tlj sf sam. 10h-23h - tram ligne E, station Droits-de-l'Homme. Un des rares restaurants au cœur du quartier européen. Dans une salle moderne et sobre, ou en terrasse, au bord du canal de la Marne au Rhin, on sert des plats conventionnels bien cuisinés, constitués de salades, pâtes, pizzas, viandes et risottos.

→DÎNER

DE 16 À 30 €

㉖ **La Vignette** – Hors plan par H1 - 29 r. Mélanie - ℘ 03 88 31 38 10 - restaurant.lavignette.robertsau@ orange.fr - ouv. tlj sf sam. midi, dim. et j. fériés, fermé 1ʳᵉ quinz. d'août et vac. de Noël - tram ligne E, station Roberstau Boecklin puis 10mn à pied ou bus ligne 6, arrêt église Roberstau. À 10 mn à pied au nord du quartier européen,

fourneau en faïence et vieilles photos du quartier embellissent la salle à manger de cette charmante maison aux allures de guinguette. Appétissante cuisine du marché.

Du côté des parcs

→DÎNER

DE 16 À 30 €

㉗ **Le Jardin du Pourtalès** – Hors plan, par H1 - 161 r. Mélanie - ℘ 03 88 45 75 17 - www. jardindupourtales.com - ouv. tlj - bus ligne 6 arrêt Robertsau église puis 10mn à pied. À l'entrée du parc de Pourtalès, jolie maison forestière agrémentée d'une terrasse aux beaux jours. On peut s'y contenter de manger une glace, mais mieux vaut prendre le temps de goûter aux salades et aux tartes flambées (le soir seulement).

DE 30 À 50 €

㉘ **Buerehiesel** – H3 - parc de l'Orangerie - ℘ 03 88 45 56 65 - www.buerehiesel.com - ouv. tlj sf dim. et lun., fermé 1ᵉʳ-21 août, 31 déc.-21 janv. - tram ligne E, station Droits-de-l'Homme ou bus ligne 6 ou 30, arrêt Orangerie. À la suite de son père Antoine, Éric Westermann signe une intéressante cuisine, dans cette belle ferme à colombages, au cœur du parc de l'Orangerie. Spécialités : *schniederspaetle* et cuisses de grenouille poêlées au cerfeuil, pigeon d'Alsace farci d'un tajine de céleri, croustillant café-caramel au beurre salé.

Prendre un verre

Winstubs (bars à vins), *bierstubs* (bars à bières), salons de thé, cafés-librairies, pubs, bars d'hôtel…, difficile de ne pas trouver à Strasbourg comptoir à son goût ! Pour cela, nul besoin d'arpenter un quartier excentré. Sans surprise, c'est autour de la cathédrale et dans la Petite France que les adresses abondent. Dans l'après-midi ou dans la soirée, chacun pourra trouver « verre à son gosier » dans un lieu traditionnel ou plus contemporain. La Grand'rue, la rue des Tonneliers, la rue de l'Ail et la rue des Sœurs sont très animées… Le quartier de la Krutenau est, quant à lui, le secteur des adresses étudiantes et un brin alternatives. Enfin, en bonne productrice de vins et de bière, l'Alsace se plaît à montrer dans sa « capitale » tout l'étendue de son savoir-faire !

Autour de la cathédrale

BRASSERIE

Au Brasseur – E6 - 22 r. des Veaux - ✆ 03 88 36 12 13 - tlj 11h-1h - concert vend. et sam. (juil.-août. sam.) - fermé 1er janv. - tram ligne A ou D, station Grand'Rue, ou B ou C, station Broglie. Cette microbrasserie indépendante propose une grande variété de bières blanches, blondes, ambrées et brunes brassées sur place… et servies dans des chopes contenant jusqu'à 1,8 litre ! Ses mousses réputées attirent les jeunes Strasbourgeois qui viennent également ici pour dîner. Concerts de rock, jazz et blues en fin de semaine, à partir de 21h30.

Place Kléber - Place Broglie

CAFÉS

Cintra Bar – C5 - 11 pl. des Étudiants - ✆ 03 88 32 42 16 - lun.-sam. 7h30-22h - tram ligne B ou C, station Broglie. Un bar à l'écart de l'agitation, sur une placette tranquille. Petite restauration. Terrasse étroite et fleurie aux beaux jours. Un lieu de rendez-vous prisé de la jeunesse notamment lors des retransmissions des matchs de foot à la télé.

Café de l'Opéra – D5 - 19 pl. Broglie - ✆ 03 88 22 98 51 - www.cafeopera.fr - lun.-sam. (le dim. en cas de représentation et en déc.) 10h-1h - tram ligne B ou C, station Broglie. Logé à l'intérieur de l'Opéra national du Rhin, ce café « cosy », récemment relooké tendance design, accueille régulièrement des expositions d'artistes (peintres et photographes). Restauration servie à toute heure (carte assortie de suggestions du jour), bar à champagne et très agréable terrasse d'été en haut des marches, idéale pour l'apéritif.

SALON DE THÉ-GLACIER

Christian – C5 - 12 r. de l'Outre - ✆ 03 88 32 04 41 - www.christian.fr - tlj sf dim. et j. fériés 7h-18h30 - tram ligne B ou C, station Broglie. Réputé pour ses chocolats (♿ Shopping), « Christian » l'est aussi pour ses glaces maison et leur multitude de parfums, proposées aux beaux jours en vente à emporter. Parfait pour un arrêt gourmand au détour d'une balade. Salon de thé plus classique à l'intérieur.

Se détendre au bar du Musée d'Art Moderne et Contemporain

28

La Petite Frances

CAFÉ LITTÉRAIRE

La Tinta – B6 - *36 r. du Bain aux Plantes - ✆ 03 88 32 27 94 - tintacafe@gmail.com - mar.-sam. 10h-18h - tram ligne A ou D, station Grand'Rue.* Café sur deux niveaux à l'ambiance intimiste, avec une déco baroque plutôt chaleureuse. Chocolats, thés bio, brunch… à déguster en lisant un bouquin ou en écoutant une lecture (tous les samedis, à 17h).

BAR D'HÔTEL

Bar Champagne – C6 - *5 r. des Moulins - ✆ 03 88 76 43 43 - www.regent-hotels. com - 17h-1h - tram ligne A ou D, station Grand'Rue.* Bar de l'hôtel Régent Petite France, qui fut un moulin pendant huit siècles, puis une glacière jusqu'à la fin des années 1980. Ici, tout est fait pour passer une soirée relax : beau cadre contemporain, terrasse au bord de l'Ill, ambiance musicale, nombreux cocktails et excellents champagnes.

Krutenau

BAR

Le Festival – E6 - *4 r. Ste-Catherine - ✆ 03 88 36 31 28 - www.barlefestival.com - tlj 21h -4h - bus ligne 30, arrêt Krutenau.* Bar américain chic, tenue correcte recommandée. Pour les consommations, il est de bon ton de s'en remettre aux conseils du barman, réputé être un maître en matière de cocktails.

BAR-PÉNICHE

Café Atlantico – E5 - *Quai des Pêcheurs - ✆ 03 8835 77 81 - www.cafe-atlantico. net - tlj 6h-1h - bus ligne 10 ou 30, arrêt Saint-Guillaume.* Une péniche rouge et beige nommée *S'narreschiff*, amarrée au bord de l'Ill, sert le soir de refuge aux amateurs d'ambiance décontractée et festive. Clientèle jeune (proximité de l'université oblige) et grand choix de « drinks », des bières aux cocktails en passant par les boissons chaudes. Terrasse sur le quai aux beaux jours. La péniche fait également restaurant. Wi-fi gratuit.

BAR-BRASSERIE

Au Diable Bleu – E6 - *1 r. St-Guillaume - ✆ 03 88 35 26 84 - lun.-vend. 9h30-23h, fermé 1re quinz. d'août - bus ligne 10 ou 30, arrêt Saint-Guillaume.* Une brasserie-restaurant de quartier un rien branchée, stratégiquement placée face au pont Saint-Guillaume. Petite salle à la déco rustico-contemporaine agrémentée de quelques tables sur le trottoir quand il fait bon. Rien d'exceptionnel, mais un lieu d'« ambiance », dans un quartier agréable.

GLACIER

Le Petit Glacier – D7 - *3 r. d'Austerlitz - ✆ 03 88 14 08 09 - lun. 12h-19h, mar.-dim. 9h-19h - tram ligne A ou D, station Porte-de-l'Hôpital.* À l'entrée d'une rue piétonne très fréquentée, ce glacier propose un choix de parfums maison d'une grande qualité. Avec sa terrasse proche du pont du Corbeau, l'endroit se révèle idéal pour effectuer une pause après avoir visité le quartier de la Krutenau. Excellent accueil.

Dans le quartier allemand

PÂTISSERIE-GLACIER

Falcinella – **D4** - *17 r. du Général de Castelnau - ℘ 03 88 35 27 02 - tram ligne B, C ou E, station République.* Rien de transcendant dans cette boutique d'habitués pour le moins conventionnelle, si ce n'est qu'elle a le mérite d'exister dans un quartier plutôt avare en commerces de bouche. Gâteaux, chocolats, thés, cafés et glaces, servis dans un décor un peu kitsch, respirent la tradition pâtissière.

Les deux rives du Rhin

GLACIER

Eiscafé Italia – *Hors plan par H7 - 19 Blumenstrasse, Kehl - ℘ +49 78 51 95 91 95 - 1ᵉʳ mars-fin nov., ts les apr.-midi.* Donnant sur la place principale de Kehl, la commune riveraine de Strasbourg, côté allemand, ce café-glacier justifie la réputation d'économie et d'excellence des glaciers italiens en Allemagne ! Il n'y a qu'à voir la queue à l'extérieur aux beaux jours. Une belle récompense pour ceux qui viennent de Strasbourg à vélo, via la passerelle des Deux-Rives !

BIERSTUB

Aux Quatre Vents – *Hors plan, par H2 - 14 r. de la Carpe Haute - ℘ 03 88 31 15 82 - tlj sf dim., lun. et mar.* Dans le quartier résidentiel de la Robertsau, il reste encore des endroits populaires !

La preuve avec cette autenthique *bierstub* où tout le monde savoure de délicieuses bières locales en parlant alsacien. Une adresse familiale à découvrir absolument.

Du côté des parcs

GLACIERS

Chez Franchi – **G3** - *80 allée de la Robertsau - ℘ 03 88 36 80 80 - uniquement en été, tlj. 11h-22h - tram ligne E, station Droits-de-l'Homme.* Situé à l'entrée du parc de l'Orangerie, ce stand de glaces, dépendant du restaurant Franchi (**℃** *p. 27*), n'ouvre qu'aux beaux jours mais ravira petits et grands à l'heure de la pause.

Le Petit Glacier de la Citadelle – **H8** - *parc de la Citadelle - 1ᵉʳ mars-fin nov. ts les apr.-midi - tram ligne C ou E, station Esplanade ou bus 30, arrêt Ankara.* Un simple stand de jardin public où l'on peut déguster glaces, crêpes et, dès qu'il fait froid, gaufres et marrons chauds. Très bon accueil.

BAR-SALON DE THÉ

Le Jardin de l'Orangerie – **H3** - *parc de l'Orangerie - ℘ 03 90 41 68 05 - www.jardinorangerie.fr - tlj. 10h-2h - tram ligne E, station Droits-de-l'Homme.* Au cœur du parc de l'Orangerie, dominant le lac, ce restaurant-bowling se décline aussi en version bar-salon de thé. Un endroit agréable pour effectuer un break après une balade dans le parc.

Sortir

Strasbourg n'est pas en reste lorsqu'il s'agit de faire la fête, de se distraire ou de s'aérer au grand air. Boîtes de nuit, scènes, théâtres, clubs, bars musicaux, espaces sportifs, parcs…, toutes les envies cohabitent. Une fois de plus, beaucoup d'adresses se concentrent dans la cité ancienne (rue des Tonneliers, place du Marché Gayot, « PMG » pour les Strasbourgeois) et alentour (quartier de la Krutenau), mais aussi sur les rives de l'Ill où des péniches ont été transformées en lieux festifs (quai des Pêcheurs, notamment).
Agenda culturel p. 11.

Autour de la cathédrale

BAR MUSICAL

Mads – D5 - 8, r. du Temple Neuf - *03 88 32 00 29* - tram ligne B ou C, station Broglie. Un endroit éclectique puisqu'il s'autoproclame « restaurant le jour, bar la nuit » ! Si on y mange convenablement une cuisine du marché, l'endroit vaut surtout pour ses ambiances cocktails et musique le soir, agrémentées de concerts de jazz les vendredi et samedi soir. La déco sobre et contemporaine tranche avec la belle façade classique en bois. Agréable petite terrasse à l'étage, pour prendre un verre à toute heure et souffler un peu.

Place Kléber - Place Broglie

OPÉRA

Opéra national du Rhin – D5 - 19 pl. Broglie - *03 88 75 48 00* - www. operanationaldurhin.eu - billetterie : lun.-vend. 11h-18h, sam. 11h-16h et 1h av. représentation - fermé mi-juil.-mi-août - tram ligne B ou C, station Broglie. Créé en 1972, l'Opéra du Rhin est un organisme culturel intercommunal gérant les scènes lyriques de Strasbourg, Mulhouse et Colmar. Outre le grand répertoire lyrique classique, la programmation fait la part belle à la musique de chambre, à la danse, aux récitals et au jeune public. Tarifs : de 11 à 75 €. Agréable café (*p. 28*).

Dans le quartier allemand

THÉÂTRE

Théâtre national de Strasbourg (TNS) – E5 - 1 av. de la Marseillaise - *03 88 24 88 24* - www.tns.fr. - billetterie : lun. 14h-18h, mar.-sam. 10h-18h - représentations tlj. à 20h (sf dim. 16h) - tram ligne B, C ou E, station République. Seul théâtre national de province, le TNS est un lieu de création qui regroupe à la fois des salles de spectacles, une troupe de comédiens et une école supérieure d'art dramatique. Le TNS présente une quinzaine de spectacles par saison (d'oct. à juin), puisant dans le répertoire traditionnel et la création contemporaine. Café.

Krutenau

Théâtre Jeune Public – B5 - Grande Scène, 7 r. des Balayeurs ; Petite Scène, 1 rue du Pont-Saint-Martin (Petite France) - *03 88 35 70 10* - www.theatre-

La Cagnotte de Labiche, au Théâtre national de Strasbourg

TNS-Tania Giemza

jeune-public.com - pour la Grande Scène, tram ligne C ou E, station Université ; pour la Petite Scène, tram ligne A ou D, station Langstross Grand'Rue. Comme son nom l'indique, ce théâtre s'adresse d'abord aux enfants... de tous les âges. À travers des spectacles de marionnettes, il ambitionne d'« explorer le chemin qui va d'un enfant de trois ans à un adulte, parler de l'actualité du monde, travailler le répertoire du théâtre antique, classique et contemporain ». Nous recommandons en particulier les visites des musées strasbourgeois proposés aux familles dans le cadre du Festival des giboulées de la marionnette (en mars).

Dans le quartier de la gare

THÉÂTRE D HUMOUR

Le Kafteur – B5 - 3 r. Thiergarten - ☎ 03 88 22 22 03 - www.lekafteur.com - tram ligne A ou D, station Gare-centrale. Un lieu de création et de spectacles humoristiques original qui séduit le public depuis 18 ans.

La Laiterie – A7 - 13 r. du Hohwald - ☎ 03 88 23 72 37 - www.laiterie.artefact. org - tram lignes B et C, station Laiterie ou bus ligne 2 et 15, arrêt Laiterie. Cette salle de concerts, installée sur une ancienne friche industrielle de Strasbourg, est LA salle de Strasbourg. Pop, rock, soul, hip-hop, reggae... tous les artistes qui passent par Strasbourg s'arrêtent là. La salle sert aussi de tremplin aux artistes alsaciens. Chaque année, au mois de septembre, ont lieu les Nuits électroniques de l'Ososphère. Bon à savoir : un bus de nuit circule les

vendredi et samedi. Départ de l'arrêt Musée d'Art moderne, 1 bus/h entre 23h50 et 4h50.

Le Molodoï – A7 - 19 r. du Ban-de-la-Roche - ☎ 03 88 22 10 07 - www.molodoi. net - 21h-4h - kiosque alternatif et fanzinothèque : lun. apr.-m 16h30-19h30 - tram lignes B et C, station Laiterie, ou bus ligne 2 et 15, arrêt Laiterie. À deux pas de la Laiterie, le Molodoï se veut un espace de création, de diffusion et de rencontre pour les associations strasbourgeoises. Outre la salle de spectacles où sont organisés concerts, soirées-jeux et autres animations associatives, le Molodoï est doté d'un kiosque alternatif (vente de publications son, textes et images, produites par des médias indépendants) et d'une fanzinothèque (bibliothèque de fanzines – magazines fait à la main).

Dans le quartier de Cronenbourg

LOISIRS

Patinoire l'Iceberg – A3 - r. Pierre Nuss - ☎ 03 90 20 14 14 - www.vert-marine.com - périodes scolaires : ouv. tlj sf lun. ; été : ouv. tlj sf lun. et mar. ; horaires variables (vend.-sam. jusqu'à 0h30) - tram ligne A ou D, station Rotonde. Cette patinoire récente (2005) est considérée comme offrant la plus grande surface de glace en France. Deux pistes, une ludique, une sportive, pour patiner à son rythme. Pendant la période de Noël, c'est l'occasion de prolonger le plaisir de l'ambiance hivernale !

Shopping

Paradis du promeneur, la cité ancienne est aussi une aire commerçante attrayante pour les amateurs de shopping. S'il est assez difficile de dégager des tendances quartier par quartier, on peut toutefois avancer que le secteur Kléber-Homme-de-Fer regroupe une partie des enseignes de grande consommation (mode, chaussures, cosmétiques…), autour des magasins du Printemps, des Galeries Lafayette et de la Fnac (galerie commerciale de l'Aubette, sur la place Kléber). Ailleurs, chacun trouvera chaussure à son pied, entre les magasins de bibelots, de créateurs, de déco, de bijoux, de produits gourmands… Vous dénicherez ainsi, rue Sainte-Madeleine, dans le quartier de la Krutenau, quelques boutiques intéressantes de créateurs de vêtements et de bijoux…

Il faut aussi compter avec Kehl. La commune voisine de Strasbourg, en Allemagne, facilement accessible à vélo (avec sacoche !), comblera ceux qui veulent acheter à moindre coût produits de beauté et cigarettes. Dans la rue piétonne principale de la ville (Hauptstrasse), jalonnée de nombreuses boutiques, on entend plus souvent parler français qu'allemand !

Ceux qui préfèrent le « tout en un » satisferont leur appétit de consommation en se rendant au centre commercial Rivétoile, à côté des quais réaménagés du bassin d'Austerlitz (tram ligne D ou E, station Étoile-Polygone), ou au centre commercial des Halles, près du quai Kléber, proche de la place de l'Homme-de-Fer (tram lignes A ou D, station Ancienne-Synagogue - les Halles).

Autour de la cathédrale

GASTRONOMIE

La Boutique du Gourmet – D6 - *26 r. des Orfèvres -* 📞 *03 88 32 00 04 - www. bruck-foiegras.com - tlj sf lun., dim. et j. fériés 9h-12h, 14h30-18h30 (avr.-déc., lun. 14h30-18h30) - tram ligne A ou D, station Grand'Rue.* Le foie gras d'oie est à l'honneur dans cette luxueuse petite boutique : vous le trouverez entier, à la coupe, en croûte, en gelée, cuit au torchon, sous forme de verrine ou de terrine. Ceux qui préfèrent le foie gras de canard trouveront aussi leur bonheur. Également, choix de vins et eaux-de-vie d'Alsace.

Au Vieux Gourmet – D6 - *3 r. des Orfèvres -* 📞 *03 88 32 71 20 - www. auvieuxgourmet.fr - tlj sf dim. et lun. mat. 9h-19h - tram ligne A ou D, station Grand'Rue.* Munster, ribeaupierre, bargkass, tome du Ried, le gros-lorrain…, ici c'est le paradis du fromage alsacien et d'ailleurs ! Excellents conseils en boutique, gérée par Cyrille Lorho, meilleur ouvrier de France. C'est bien connu, le fromage, ce n'est pas facile à transporter. Mais quand vous aurez senti l'odeur depuis la rue, vous aurez de la

35

peine à résister… Et pourquoi ne pas improviser un « pique-nique fromage » au bord de l'Ill ?

La Boutique d'Antoine Westermann – D6 - *1 r. des Orfèvres - ✆ 03 88 22 56 45 - lun. 14h30-19h, mar.-jeu. 9h30-12h30, 14h-19h, vend. 9h30-19h, sam. 9h-19h - fermé dim. et j. fériés - tram ligne A ou D, station Grand'Rue*. L'épicerie recèle, au sous-sol, une belle sélection d'huiles, de vinaigres, des épices, des spécialités au piment d'Espelette, du thé en vrac, etc. Au rez-de-chaussée, vous trouverez le produit phare de la maison, le foie gras préparé par Éric Westermann, les confitures de Christine Ferber et du matériel de cuisine.

SOUVENIRS D'ALSACE

L'Alsace chez Vous – C6 - *10 r. de l'Épine - ✆ 03 88 52 03 56 - www.alsacesecrete.fr - 10h-12h30 ; 14h-19h - fermé dim. et lun. - tram ligne A ou D, station Grand'Rue*. Dans une rue « secrète » près de la place Gutenberg, cette boutique discrète rassemble l'essentiel de la production artisanale et littéraire alsacienne (tissus, vaisselle, ouvrages régionaux…) et quelques produits de terroir (foies gras, vins…). Parfait pour un souvenir traditionnel. Bon accueil.

Poterie d'Alsace – D6 - *3 r. des Frères - ✆ 03 88 32 23 21 - www.poterie-alsace-strasbourg.eu - lun. 14h-19h, mar.-sam. 10h-19h - tram ligne A ou D, station Grand'Rue*. À Strasbourg depuis 1860, cette enseigne n'a pas son pareil pour vous vendre le moule à *kougelhopf* ou à *baeckeoffe* que vous rêvez sans doute de mitonner à la maison de retour

d'Alsace… Poteries traditionnelles et contemporaines issues d'une vingtaine d'ateliers alsaciens.

Lalique – D5 - *25 r. du Dôme - ✆ 03 88 75 55 52 - www.cristallalique.fr - lun. 14h-18h ; mar.-sam. 10h-12h15 ; 13h45-18h45 - tram ligne A ou D, station Grand'Rue*. Difficile de ne pas faire un saut dans la boutique de la célèbre cristallerie alsacienne ! Les prix ne sont pas à la portée de tous les *citybreakers* mais le coup d'œil est recommandé tant les pièces sont superbes.

DÉCO VINTAGE

Polychrome – D6-7 - *5 r. de l'Arc-en-Ciel - ✆ 09.81.945.925 - www.boutique-polychrome.fr - mar.-vend. 12h0-19h, sam. 10h-19h*. Une boutique pop et pétillante, qui ravira les passionnés des années 1950-1970 et tous les amateurs de vintage ! Meubles et luminaires, accessoires de mode et hi-fi, tous les objets sont d'origine et restaurés dans leur jus.

BIJOUX

Carpe Diem – D6 - *28 r. des Orfèvres - ✆ 03 88 22 11 33 - www.bijouxcarpediem.fr - lun. 14h-19h, mar.-sam. 10h-19h - tram ligne A ou D, station Grand'Rue*. Tout près de la cathédrale, une jolie boutique qui met en valeur les bijoux originaux de plusieurs créateurs.

DÉCO

Galerie Fou du Roi – D5 - *4 r. du Faisan - ✆ 03 88 24 23 25 - www.fouduroi.org - mar.-sam 10h-12h, 14h-19h - tram ligne A ou D, station Grand'Rue*. Cette galerie claire et lumineuse propose une collection

Galerie Fou du Roi

Un aperçu de la galerie Fou du Roi

d'objets sobres ou extravagants (luminaires, textiles, meubles et accessoires) à tous les prix. De grands noms, beaucoup de jeunes designers et quelques créations maison.

Boîte à bougies – D6 - *4 r. du Sanglier - www.laboiteabougies.fr - lun. 15h-18h30, mar.-vend. 9h30-12h30, 14h-18h30, sam. 9h-19h.* Cette maison, fondée en 1827, rassemble toutes les marques possibles et imaginables de bougies parfumées et décoratives.

Place Kléber - Place Broglie

CHOCOLATIERS

Christian – C5 - 🕭. *p. 28.* Cette belle boutique propose de délicieux chocolats : truffes au bois de santal, châtaignes, carrés rehaussés de poivre de Jamaïque, sans oublier les grands crus pur Java, Équateur ou Venezuela. Les pâtisseries sont élaborées avec du lait cru fermier et – selon la saison – avec les fruits du verger familial.

Riss – C6 - *35 r. du 22-Novembre - ☎ 03 88 32 29 33 - mar.-sam. 8h-18h45, lun. (sf en été) 13h30-18h30 - fermé j. fériés - tram ligne A ou D, station Homme-de-Fer ou Grand'Rue.* Fondée dans les années 1930, cette maison est devenue une institution pour les Strasbourgeois friands de chocolats. Grand passionné, Jean-François Hollaender marie les saveurs, oppose les consistances, joue avec les couleurs pour un résultat des plus délicats. Ne manquez pas de goûter à sa spécialité, la truffe au scotch-whisky !

LIBRAIRIE

Librairie internationale Kléber – C6 - *1 r. des Francs Bourgeois - ☎ 03 88 15 78 88 - www.librairie-kleber.com - mar.-sam. 9h-19h (lun. 10h-19h) - tram ligne A ou D, station Homme-de-Fer ou Grand'Rue.* Librairie généraliste, sur trois niveaux. Une adresse « incontournable » à Strasbourg pour acheter les dernières nouveautés littéraires ou les titres les plus pointus en littérature de voyage, art ou philosophie… La librairie dispose de trois autres espaces de vente à Strasbourg, dont un au Musée d'Art moderne et la Librairie du Monde Entier, bâtiment de l'Aubette (place Kléber), spécialisée dans les livres en langues originales.

MODE ET BEAUTÉ

L'Aubette – C5 - *31, place Kléber - ☎ 0 825 16 00 67 - www.laubette. fr - lun.-sam. 10h-20h - tram ligne A, B, C ou D, station Homme-de-Fer.* Dans ce beau bâtiment du 18e s., jadis à vocation militaire, sur l'une des plus grandes places de Strasbourg, une galerie commerciale a été aménagée. Elle est composée d'une dizaine de boutiques de mode, soins-beauté et équipement de la maison. Grande salle au 1er étage avec fréquentes expositions.

La Petite France

PRODUITS DE NOËL

Un Noël en Alsace – C6 - *10 r. des Dentelles - ☎ 03 88 32 32 32 - www. noelenalsace.fr - tlj sf dim. mat. 10h-12h30, 13h30-19h (à partir de juil. : dim. 14h-18h) - fermé janv.-fév. - tram* ligne A ou D, station Grand'Rue. Dans cette maison du 16ᵉ s. au cœur de la Petite France, c'est Noël tous les jours. Guirlandes, petits personnages en bois, étoiles scintillantes, boules multicolores, tout est là pour parfaire votre décor de Noël.

PAIN D'ÉPICES

Au Paradis du Pain d'Épices – C6 - *14 r. des Dentelles - ☏ 03 88 32 33 34 - www.mireille-oster.com - tlj 9h-19h (lun. 10h-19h) - tram ligne A ou D, station Grand'Ru*e. Des parfums d'orange, de miel, de cannelle et de cardamome embaument cette maison à colombages datant de 1643. C'est qu'ici le pain d'épice est roi : tendre ou croquant, sucré, salé et même glacé, il se décline à l'infini. Nos recommandations : le pain d'Amour, le Verdi et le pain de Soleil.

VINS

Œnosphère – C7 -*3 quai Finkwiller ☏ 03 88 36 10 87 - www.oenosphere.com - fermé dim. - lun. 14h30-19h30, mar.-ven. 10h-19h30, sam 10h-19h - bus ligne 10, arrêt Saint-Thomas.* Le maître des lieux, Benoît Hecker, revendique une approche alternative de la découverte du vin. On trouve certes dans sa boutique des vins prestigieux, d'Alsace et d'ailleurs, mais aussi des crus et des petits vins originaux. Cours d'œnologie, respect des producteurs et atmosphère conviviale font de cette cave un lieu d'initiation au vin d'un genre nouveau.

Krutenau

BIÈRES

Malt et Houblon – D7 - *19 r. d'Austerlitz - ☏ 03 88 36 92 60 - ouv. tlj sf dim. et lun. - tram ligne A ou D, station Porte de l'Hôpital.* Vous n'envisagez pas de quitter Strasbourg sans emporter quelques bières ? Ce magasin est fait pour vous ! Grand choix de bières artisanales alsaciennes (brasserie Uberach, de l'Ill, Perle…) mais aussi allemandes, tchèques, irlandaises, belges… On y trouve même des bières bios et quelques accessoires . Bon accueil.

DÉCO, BIJOUX, CADEAUX

Mémé en Autriche – D6-7 - *10 r. Sainte-Madeleine - ☏ 03 88 13 25 58 - www.memeenautriche.com - tram ligne A ou D, station Porte-de-l'Hôpital.* Sous ce nom insolite, se cachent des trouvailles amusantes, des gadgets farfelus, volontiers kitsch, des bijoux fantaisie, des thés (Kusmi) et de jolis cabas colorés pour emporter votre butin.

MODE ET ACCESSOIRES

Une autre ligne – D6-7 - *8-19 r. Sainte-Madeleine - ☏ 03 88 35 07 65 - http://uneautreligne.blogspot.com - mar.-vend. 10h30-12h30, 14h-19h et sam. 10h-19h - tram ligne A ou D, station Porte-de-l'Hôpital.* Ce concept store aussi doux que fantaisiste propose des accessoires originaux et colorés réalisées par des créateurs de la ville et des environs. Quelques exemples : des perles réalisées en pages de magazines (Capture), des tabliers, doudoux et pochettes (Brodi-Broda), des chapeaux et autres coiffes aériennes (Claire Barberot)…

Sur l'Ill, en direction de l'église Saint-Paul.

Visiter Strasbourg

Strasbourg aujourd'hui   P42

La cathédrale Notre-Dame   P44

Autour de la cathédrale   P52

Les places Kléber et Broglie   P60

La Petite France   P64
La Krutenau   P70

Le quartier allemand   P74

Le quartier européen   P80

Les deux rives du Rhin   P86
Du côté des parcs   P90

La vallée du Rhin, vers le nord   P92
La vallée du Rhin, vers le sud   P96

Strasbourg aujourd'hui

Strateburgum : la « ville des routes ». Dès l'époque mérovingienne, le petit village de chasseurs et de pêcheurs, stratégiquement installé entre deux bras de l'Ill, s'émancipe et devient une cité prospère en même temps qu'un carrefour entre les peuples, à la croisée des mondes latins et germaniques. La vocation de Strasbourg, ville d'échanges et de passage, ne s'est jamais démentie depuis.

Siège du Parlement européen et du Conseil de l'Europe, Strasbourg est aujourd'hui l'une des deux « capitales » européennes, avec Bruxelles. Une capitale qui profite de son statut et de sa position stratégique dans les échanges, mais qui a su éviter la démesure et conserver une taille humaine. Septième ville française par sa population, Strasbourg a réussi le pari de marier la préservation d'un remarquable patrimoine ancien et d'un riche art de vivre (surtout gastronomique !) avec un développement soucieux d'esthétisme et de protection de l'environnement, comme le prouve le choix du tramway et le développement des pistes cyclables. Souvent au cœur de l'actualité lors des sessions du Parlement, organisées pendant quatre jours chaque mois, Strasbourg bénéficie d'une notoriété accrue depuis la mise en service du TGV Est européen, en juin 2007. Reliant Paris à Strasbourg en 2h20, ce train est un levier de développement économique et touristique pour la ville qui se traduit en particulier par une hausse des courts séjours. Cette fréquentation pourrait d'ailleurs s'accroître en 2013-2014 lorsque les nouveaux aménagements de la ligne ferroviaire réduiront le trajet entre Paris et la capitale alsacienne à 1h50.

Quoi qu'il en soit, les touristes ne viennent pas à Strasbourg par hasard ! En 1988, l'Unesco a inscrit tout le centre ancien (sous le nom de « Strasbourg - Grande Île ») sur la liste du Patrimoine mondial de l'humanité, une première en France concernant l'inscription d'un quartier entier. Si la cathédrale Notre-Dame, joyau gothique de la ville, a été classée en tant que « réalisation artistique unique », la Grande Île y est inscrite comme « exemple éminent d'ensemble urbain caractéristique de l'Europe moyenne » et « ensemble unique d'architecture domestique rhénane des 15e et 16e s ».

Visiter Strasbourg est aisé. Les sites et les quartiers majeurs sont concentrés dans un périmètre relativement restreint parfaitement desservi par le tramway. Entouré par l'Ill et le canal du Faux-Rempart, le centre ancien mérite son appellation de « Grande Île » (on parle aussi d'« ellipse strasbourgeoise »). Relié par 21 ponts et passerelles au reste de la ville, il renferme un patrimoine d'une très grande qualité. C'est évidemment par ce quartier que l'on commencera la découverte de Strasbourg.

Au premier rang des sites à visiter, se trouve la **cathédrale.** Ce monument gothique domine la ville avec sa flèche unique dressée à 142 m. Tout autour, une succession de ruelles et de places accueille édifices majestueux (dont le plus célèbre est le **palais Rohan**), maisons à colombages et musées, dans un environnement de boutiques, de cafés et de restaurants des plus agréables.

Intégrés à la Grande Île, les quartiers de la Petite France, de la place Kléber et de la place Broglie ont chacun leur personnalité. La **Petite France** est le plus connu. Au bord de l'Ill, cet ancien quartier de pêcheurs, de tanneurs et de meuniers séduit par ses maisons fleuries à colombages et son atmosphère intimiste, à fleur d'eau. Les rues autour de la **place Kléber** concentrent une intense activité commerciale : c'est, par excellence, le quartier du shopping. La **place Broglie**, est connue pour recevoir chaque année le **marché de Noël,** ses rues adjacentes ont un parfum de noblesse grâce aux nombreux hôtels particuliers construits sur le modèle parisien au 18e s. Ils confèrent au quartier une atmosphère résidentielle chic.

Hors la Grande Île, Strasbourg offre moult contrastes. Sur la rive droite de l'Ill, la **Krutenau** associe classicisme de façade et ambiance jeune et branchée. En voie de boboïsation, cet ancien quartier populaire est émaillé de lieux festifs ou alternatifs qui attirent la population étudiante.

Plus au nord, le **quartier allemand** impose sa différence. Après avoir été prise par les Allemands en 1870, Strasbourg devient la capitale du Reichsland d'Alsace-Lorraine. Ce secteur encore vierge se couvre alors d'édifices prestigieux, symboles du nouveau pouvoir. Le **palais du Rhin** ou la bibliothèque nationale universitaire témoignent du style architectural prussien monumental, d'allure néo-baroque.

On l'a dit, Strasbourg, l'une des capitales de l'Europe, a été choisie comme symbole de la réconciliation après la Seconde Guerre mondiale. Tout le **quartier européen** l'atteste, avec sa dizaine d'institutions prestigieuses regroupées (Parlement européen, Conseil de l'Europe…) qui sont autant d'exemples d'audace architecturale. Et la verdure, dans tout ça ? Elle est présente, au gré de plusieurs **parcs urbains** aménagés près du centre… mais aussi au bord du **Rhin**, où alternent les activités industrielles du **port autonome** et les quartiers résidentiels. Ainsi, l'une des balades favorites consiste à se rendre à vélo – moyen de transport incontournable à Strasbourg ! – jusqu'à la ville allemande riveraine de **Kehl**, en traversant le **jardin des Deux Rives** et la passerelle sur le fleuve.

Voilà de quoi donner des envies de grande excursion. Toujours à vélo (ou en voiture, et même en bateau), il serait dommage de ne pas profiter du fil conducteur du Rhin pour visiter **villages**, musées et campagne alentour. De **Gambsheim** à **Lauterbourg** au nord, d'**Eschau** à **Marckolsheim** au sud, l'Alsace peuplée et prospère livre son harmonie industrieuse autour de sa capitale européenne.

43

La cathédrale Notre-Dame★★★

Inscrite par l'Unesco au patrimoine mondial de l'humanité en 1988, la cathédrale de Strasbourg s'élève au dessus des ruelles et des maisons de l'île strasbourgeoise, se dégageant gracieusement de la ville pour élever à plus de 140 m. d'altitude son unique flèche. Remarquable par son architecture gothique et sa pierre en grès rose, elle fut construit au fil du Moyen Âge, entre le 12ᵉ et le 14ᵉ s. Ce « prodige du gigantesque et du délicat », selon les mots de Victor Hugo, séduit aussi par le panorama ouvert sur la ville qu'on découvre depuis sa flèche et le spectacle de son horloge astronomique.

➔**Accès :** tram ligne A ou D, station Grand'Rue. Puis 5mn à pied par les rues Gutenberg et Mercière. La cathédrale se trouve en **D6** sur le plan détachable.

➔**Conseil :** essayez d'arriver assez tôt pour le spectacle de l'horloge astronomique afin de pouvoir vous placer devant (quitte à supporter le film vidéo un peu long…).

44

Il a fallu près de quatre siècles pour ciseler ce chef-d'œuvre : entre 1015 et 1439, la cathédrale a été construite, incendiée, rebâtie, enrichie, complétée… ce qui en fait une remarquable synthèse de l'évolution de l'art gothique.
L'histoire de la cathédrale à proprement parler commence au 11ᵉ s, lorsque l'évêque Wernher décide de faire construire une vaste cathédrale romane. Détruite par un incendie, elle joue cependant un rôle important car elle donne sa taille à l'édifice qui la remplace : ses soubassements servent à reconstruire de plus belle…
Le chantier de la nouvelle cathédrale débute en 1176 dans le style roman, mais très vite l'influence de l'art gothique se fait sentir : au moment où se construisent de part et d'autre du Rhin de multiples cathédrales, le climat d'émulation entraîne maîtres d'œuvre et compagnons à faire preuve de plus

en plus d'audace. À la cathédrale de Wernher, enraciné dans la terre, succède un édifice gothique élancé vers le ciel. Les premiers maîtres d'œuvre viennent de Chartres, de Champagne et de Bourgogne, où s'activent les bâtisseurs les plus réputés de l'époque.
En 1240, le chœur, la croisée et les croisillons sont achevés. Suivent la nef et le jubé (celui-ci n'est plus visible qu'au musée de l'Œuvre Notre-Dame) avant qu'on ne s'attaque à la façade occidentale.
À partir de 1284, c'est un maître d'œuvre alsacien qui prend la direction du chantier : Erwin de Steinbach.
Le chantier progresse lentement, au rythme des périodes de paix et des aléas du financement. En 1399, la façade était finie. Ulrich d'Ensingen entreprend alors la construction de la tour hexagonale et Jean Hültz, enfin, construit la flèche achevée en 1439.

Gargouille de la cathédrale Notre-Dame

Façade★★★

C'est depuis la rue Mercière que l'on en a la meilleure vue sur la cathédrale en grès rose. Erwin de Steinbach dirigea la construction de la façade jusqu'au-dessus de la galerie des Apôtres. Ce qui frappe d'emblée le regard, c'est la multitude de personnages sculptés à toutes les hauteurs. (Certaines de ses statues, déposées et remplacées par des copies, sont conservées au musée de l'Œuvre Notre-Dame, où on peut les admirer à hauteur de regard.) Ce « peuple de pierre » constitue un immense imagier qui servait notamment à l'instruction des fidèles, à une époque où le livre était rare.

Le **portail central**, surmonté d'une magnifique rose de 15 m de diamètre, est le plus richement décoré de la façade. Sur son tympan, on peut lire des scènes de la vie de Jésus, de son entrée triomphale à Jérusalem à son Ascension. On reconnaît notamment le baiser de Judas et Jésus crucifié, au-dessus du cercueil d'Adam, entre la Synagogue et l'Église, qui recueille son sang.

Le **portail de droite** met en scène la parabole des vierges sages et des vierges folles : les premières à droite tiennent fièrement leur lampe, les secondes, à gauche, montrent leur dépit de s'être laissé enjôlées par le tentateur, représenté sous les traits d'un séduisant jeune homme, tenant une pomme, rappel de la fameuse scène du paradis terrestre. Les statues originales, conservées au musée de l'Œuvre Notre-Dame montrent encore mieux que les copies qui les remplacent la finesse des expressions des visages : chaque statue est dotée d'une véritable personnalité. Au **portail de gauche**, les statues (14e s.) représentent les Vertus : sveltes et majestueuses dans leurs longues tuniques flottantes, elles terrassent les Vices qui leur font face.

Façade sud

Le flanc sud offre les beautés du **portail de l'Horloge**, le plus ancien de la cathédrale (13e s.). Il est composé de deux portes romanes accolées. Entre les deux portes, une statue de Salomon, rappelle le fameux jugement. À sa gauche, se tient l'Église, puissante et fière sous sa couronne, montrant d'une main la croix et de l'autre le calice. À droite, la statue de la Synagogue s'incline, triste et lasse, essayant de retenir les débris de sa lance et les Tables de la Loi qui s'échappent de ses mains. Le bandeau qui couvre ses yeux symbolise l'égarement.

Dans le tympan de la porte de gauche se trouve l'admirable **Mort de la Vierge★★** dont le peintre Delacroix, mourant, se plaisait à contempler le moulage. La figurine que Jésus tient dans sa main gauche représente l'âme de Marie. Au-dessus des deux portes, on voit le cadran extérieur de l'horloge astronomique.

Façade nord

Le **portail Saint-Laurent★**, de la fin du 15e s., a pour sujet principal le groupe du martyre de saint Laurent (restauré au 19e s.), représenté au-dessus de la porte.

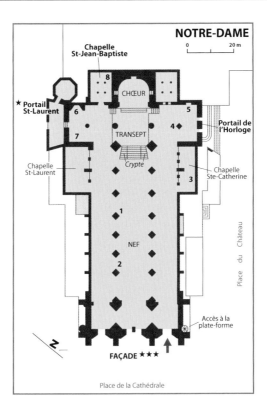

À gauche de celle-ci se dressent les statues de la Vierge, des trois Rois mages et d'un berger ; à droite, cinq statues, dont celle de saint Laurent.

À l'intérieur

&. *Possibilité de visite guidée de la cathédrale (1h) sur demande - 7h-19h - gratuit.*

La nef est d'une largeur inhabituelle (qui s'explique par le fait qu'elle est construite sur les soubassements de la cathédrale romane, **&** *p. 44*). Les **vitraux★★★** des fenêtres hautes, superbes mais quelque peu dégradés par l'âge, datent des 13e et 14e s., ainsi que ceux des bas-côtés. Ils représentent une succession de rois et d'empereurs germaniques. La Vierge du chœur et la rose de la façade sont modernes.

Dans la nef, la **chaire**★★ **(1)**, type parfait de gothique flamboyant, fut dessinée par Hans Hammer pour le prédicateur Geiler de Kaysersberg, appelé à la rescousse par l'évêque de Strasbourg pour contrer la propagation de la réforme. L'**orgue**★★ **(2)** accroché en nid d'hirondelle au triforium, déploie sur la largeur d'une travée son buffet gothique (14e-15e s.) en bois sculpté polychrome. De part et d'autre de sa tribune en pendentif ornée d'un Samson sculpté, deux statues représentent un héraut de la ville et un marchand de bretzels en costume d'époque. Ces personnages articulés s'animaient parfois pendant les sermons pour distraire les fidèles.

Horloge astronomique★★ (5)

♿ - *visite libre 7h-19h - gratuit, sf entre 11h20 et 12h35 (12h, projection d'un film sur l'horloge astronomique, suivie du défilé des apôtres à 12h30).*
Située dans le croisillon droit au milieu duquel prend place le **pilier des Anges**★★ (ou du **Jugement dernier (4)** - 13e s.), l'horloge astronomique constitue la grande curiosité populaire de la cathédrale. Réalisée par des horlogers suisses au 16e s, elle cessa de fonctionner en 1780. Le Strasbourgeois Schwilgué parvint à en reconstituer le mécanisme vers 1840. Les sept jours de la semaine sont représentés par des chars conduits par des divinités, apparaissant dans

une ouverture au-dessous du cadran : Diane le lundi, puis Mars, Mercure, Jupiter, Vénus, Saturne et Apollon. Une série d'automates frappent deux coups tous les quarts d'heure. Les heures sont sonnées par la Mort. Au dernier coup, le second ange de la galerie aux Lions retourne son sablier. À 12h30, dans la niche, au sommet de l'horloge, les apôtres passent devant le Christ en le saluant, Jésus les bénit, tandis que le coq, perché sur la tour de gauche, bat des ailes et chante trois fois en souvenir du reniement de saint Pierre. Le spectacle est curieux et insolite bien qu'il soit précédé d'un film vidéo assez long, au pompeux commentaire. Attention ! Le grand défilé a lieu à **12h30** et non à 12h car l'heure locale est décalée de 30mn par rapport à celle du méridien de Greenwich.
À gauche de l'horloge, un vitrail du 13e s. représente un gigantesque saint Christophe, de 8 m de haut. C'est le plus grand personnage de vitrail connu.

Croisillon gauche

On y voit de magnifiques fonts baptismaux **(6)** de style gothique flamboyant. En face, un groupe en pierre de 1498 représente Jésus au mont des Oliviers **(7)**.

Chapelle St-Jean-Baptiste

Ne se visite pas. La chapelle (13e s.) contient le tombeau de l'évêque Conrad de Lichtenberg **(8)** qui fit commencer la façade. L'œuvre est attribuée à Erwin.

UN ÉDIFICE EMBLÉMATIQUE

À peine un siècle après la fin du chantier, la Réforme arrive à Strasbourg. Pendant de longues années, catholiques et protestants luttent pied à pied dans la cathédrale. Sur la porte de l'édifice, les propositions de Luther sont affichées. Le culte protestant finit par l'emporter. La cathédrale ne redevient catholique que sous Louis XIV, en 1681, lorsque le roi prend possession de la ville.

Durant la Révolution, on donna l'ordre d'abattre toutes les statues : 230 furent détruites, mais l'administrateur des Biens publics parvint à cacher 67 statues de la façade. Pour protéger la flèche, un habitant eut l'idée de coiffer l'aiguille de pierre d'un immense bonnet phrygien, en tôle peinte d'un rouge ardent, sauvant ainsi le chef-d'œuvre de Hültz.

Plus tard, les obus prussiens de la guerre de 1870 et les bombardements de 1944 ont endommagé plusieurs parties de l'édifice, délicatement restaurées depuis.

Chœur

Le chœur est doté d'un mobilier contemporain. Au-dessus de la croix monumentale, le vitrail de la Vierge, dû à Max Ingrand, fut offert à la cathédrale par le Conseil de l'Europe en 1956, pour remplacer le vitrail détruit par les bombardements de 1944. Les peintures de Steinle (1877) qui décorent les murs et les voûtes de l'abside sont d'inspiration byzantine. Devant le **chœur**, des escaliers mènent à la crypte *(visite guidée uniquement).*

Tapisseries★★

La cathédrale possède 14 magnifiques tapisseries du 17e s. que l'on suspend le long de la nef entre les piliers pendant l'avent et le temps de Noël. Elles représentent des scènes de la vie de la Vierge, exécutées notamment d'après les cartons de Philippe de Champaigne.

Flèche★★★

329 marches. Entrée par le flanc sud.
☏ *03 88 43 60 32 - 1ᵉʳ-avr.-30 sept. tlj 9h-19h15 ; 1ᵉʳ oct.-31 mars tlj 10h-17h15. Nocturnes en été : 1ᵉʳ-31 juil., vend. et sam. jusqu'à 21h15 ; 1ᵉʳ-15 août, vend. et sam. jusqu'à 20h45 ; 16-31 août, vend. et sam. jusqu'à 19h45 - fermé 1ᵉʳ janv., 1ᵉʳ Mai, 25 déc. - 4,60 € (-18 ans 2,30 €).*

Octogonale à la base, la flèche de Jean Hültz dresse ses six étages de tourelles ajourées, qui contiennent les escaliers, et se termine par une double croix. C'est un chef-d'œuvre de grâce et de légèreté. La plate-forme qui surmonte la façade culmine à 66 m de hauteur. Les visiteurs arrêtent ici leur pénible ascension des marches, mais la tour s'élève encore de 40 m, puis se termine par une flèche dont le sommet atteint 142 m au-dessus du sol. De la plate-forme, **point de vue spectaculaire★** sur Strasbourg, en particulier sur la vieille ville, avec ses toits caractéristiques percés de plusieurs étages de lucarnes, sur les faubourgs et la plaine rhénane limitée par la Forêt-Noire et les Vosges.

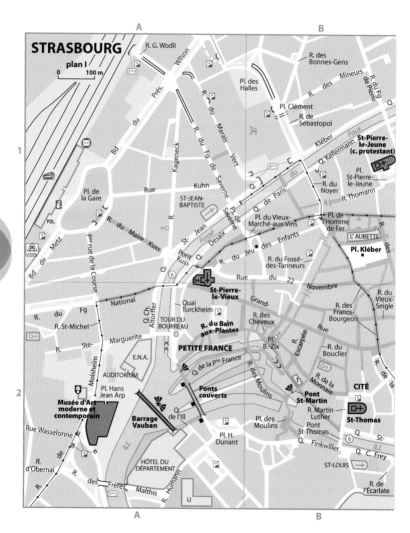

STRASBOURG
plan I
0   100 m

50

Autour de la cathédrale

Dans ce quartier lové dans la partie sud-est de la Grande Île, les principaux musées et monuments de Strasbourg ont élu domicile. Cœur architectural de la ville, poumon commerçant et touristique avec ses nombreux restaurants et magasins de bouche, le secteur se dévoile lorsqu'on parcourt ses ruelles tortueuses et étroites au joli cachet médiéval.

➜**Accès :** tram ligne A ou D, station Grand'Rue. La cathédrale est à 5mn à pied par les rues Gutenberg et Mercière.

➜**Conseil :** ce quartier qui n'est guère étendu se parcourt aisément à pied.

Place de la Cathédrale★ D6

Cette place pavée s'étend devant la cathédrale et sur son côté nord. À l'angle de la rue Mercière, l'**ancienne pharmacie du Cerf (plan I C2)**, datant de 1268, était la plus ancienne pharmacie de France en activité. Fermée en 2000, elle a été transformée pour abriter la Boutique de la culture. À gauche de la cathédrale se dresse la maison **Kammerzell★ (plan I C2)** (1589). Seule sa porte date de 1467. Décorée de poutres et de pans de bois sculptés, elle a été transformée en restaurant.

Place du Château D6

Sur cette place jouxtant la façade sud de la cathédrale s'élève le palais Rohan, qui accueille plusieurs musées *(accès au fond de la cour à gauche).*

Palais Rohan★ D6

Le palais Rohan fut construit au 18ᵉ s. par le cardinal Armand de Rohan-Soubise, sur les plans de Robert de Cotte, premier architecte du roi. Le long de l'agréable terrasse bordant l'Ill, l'édifice déploie une majestueuse **façade**, de pur style classique, ornée, sur le corps central, de colonnes corinthiennes.

52

LÉGENDES STRASBOURGEOISES

Le diable, chevauchant le vent, parcourait le vaste monde. Passant au-dessus de Strasbourg, il reconnut, sur l'un des portails de la cathédrale, son portrait sous les traits du fameux séducteur à la pomme (♿ p. 46). Flatté et curieux, il laissa là le vent pour entrer dans la cathédrale à la recherche d'autres portraits de lui. Mais il ne parvint jamais à sortir du lieu saint et, depuis, le vent piaffe d'impatience et s'agite alentour.

La cathédrale vue de la rue Mercière, parée pour Noël

R. Mattes / hemis.fr

Musée des Arts décoratifs ★★ D6

Au rez-de-chaussée et dans la partie droite du palais Rohan (aile des écuries et pavillons Hans-Hung). ✆ 03 88 52 50 08 - www.musees-strasbourg.org - 12h-18h, w.-end 10h-18h - tlj sf mar., 1ᵉʳ janv., Vend. saint, 1ᵉʳ Mai, 1ᵉʳ et 11 Nov., 25 déc. - 5 € (-18 ans gratuit), 1ᵉʳ dim. du mois gratuit.

Les **grands appartements** des cardinaux de Rohan comptent parmi les plus beaux intérieurs français du 18ᵉ s. La salle du Synode, la chambre du Roi, le salon d'assemblée, la bibliothèque des Cardinaux, le salon du Matin et la chambre de l'Empereur sont particulièrement remarquables par leur décor, leur mobilier d'apparat, leurs tapisseries (tenture de Constantin d'après Rubens, vers 1625) et leurs tableaux du 18ᵉ s.

Consacré aux **arts et à l'artisanat de Strasbourg et de l'est de la France** depuis la fin du 17ᵉ s. jusqu'au milieu du 19ᵉ s., ce secteur comporte notamment la célèbre **collection de céramiques**★★, l'une des plus importantes de France. Celle-ci regroupe essentiellement les faïences et porcelaines des manufactures de Strasbourg et Haguenau, fondées et dirigées par la famille **Hannong** de 1721 à 1781, ainsi que de la manufacture de Niderviller, créée en 1748 par le baron de Beyerlé, directeur de la Monnaie royale de Strasbourg. On admirera les pièces de céramique de la « période bleue », celles au décor polychrome, les terrines

en forme d'animaux ou de végétaux et surtout les magnifiques décorations florales aux pourpres dominants.

Le musée expose également des jouets mécaniques donnés par Tomi Ungerer et une belle collection d'horlogerie (milieu 14ᵉ-18ᵉ s.), de ferronnerie et d'orfèvrerie.

Musée des Beaux-Arts★ D6

Aux 1ᵉʳ et 2ᵉ étages du corps de logis principal du palais Rohan. ✆ 03 88 88 50 68 - www.musees-strasbourg.org - ♿ - 12h-18h, w.-end 10h-18h - tlj sf mar., 1ᵉʳ janv., Vend. saint, 1ᵉʳ Mai, 1ᵉʳ et 11 Nov., 25 déc. - 5 € (-18 ans gratuit), 1ᵉʳ dim. du mois gratuit.

La collection présente essentiellement des tableaux européens de la fin du Moyen Âge au 18ᵉ s. Les **primitifs italiens** et peintres de la **Renaissance** sont représentés par Filippino Lippi, Botticelli, Cima da Conegliano (magnifique *Saint Sébastien*) et l'un des premiers tableaux du Corrège, *Judith et la Servante*. Pour les 17ᵉ et 18ᵉ s., on remarquera particulièrement les œuvres de Crespi, Tiepolo (retable) ou Canaletto. Quelques tableaux illustrent l'**école espagnole**, parmi lesquels des œuvres de Zurbarán, Murillo, Goya, et surtout une célèbre *Vierge de douleur* par le Greco.

L'**école des anciens Pays-Bas** du 15ᵉ au 17ᵉ s. occupe une place de choix : très beau *Christ de pitié* par Simon Marmion, *Les Fiancés* par Lucas de Leyde, plusieurs tableaux de Rubens, un *Saint Jean* (portrait de l'artiste) de Van Dyck et le *Départ pour la promenade* par Pieter De Hooch.

Parmi les toiles représentent les écoles française et alsacienne du 17e au 19e s., on retiendra *La Belle Strasbourgeoise* par Nicolas de Largillière (1703). Des œuvres de Delacroix, Courbet et Corot sont également exposées.

Autre richesse du musée : une importante collection de **natures mortes** du 16e au 18e s., dont le très célèbre *Bouquet de fleurs* de Bruegel de Velours.

Musée archéologique★★ D6

Au sous-sol du palais Rohan. ☎ 03 88 52 50 00 - www.musees-strasbourg.org - ♿ - tlj sf mar. 14h-18h - fermé 1er janv., 1er Mai, 11 Nov. - 5 € (-18 ans gratuit), 1er dim. du mois gratuit - audioguide gratuit sur demande.

Les collections d'archéologie régionale couvrent l'histoire de l'Alsace de 600 000 ans av. J.-C. à 800 apr. J.-C. La section de préhistoire comporte des collections néolithiques illustrant la vie des premiers agriculteurs implantés en Alsace dès 5500 av. J.-C. Des civilisations de l'âge du bronze, puis du fer sont présentées à travers le mobilier découvert lors de fouilles dans la région : céramiques, armes et outils, objets de parure, vaisselles d'apparat importées de Grèce ou d'Italie, char funéraire d'Ohnenheim.

Remarquable section romaine avec ses collections lapidaires et épigraphiques ainsi que son bel ensemble de verreries, associés à de très nombreux objets de la vie quotidienne des Gallo-Romains.

L'époque mérovingienne est illustrée par des armes et des bijoux ainsi que quelques pièces insignes, tels le casque de Baldenheim ou les phalères décorées d'Ittenheim. Certains vestiges antiques du sanctuaire du Donon sont également exposés.

Musée de l'Œuvre Notre-Dame★★ D6

3 pl. du Château - ☎ 03 88 52 50 00 - www.musees-strasbourg.eu - tlj sf lun. 12h-18h, w.-end 10h-18h - fermé 1er janv., Vend. saint, 1er Mai, 1er et 11 Nov., 25 déc. - 5 € (-18 ans gratuit), 1er dim. du mois gratuit.

Bon à savoir : des flyers distribués dans la cathédrale donne droit à une entrée à tarif réduit au musée.

L'Œuvre Notre-Dame fut fondée pour recueillir les dons des fidèles en vue de la construction de la cathédrale. Elle contribue aujourd'hui à son entretien et à sa restauration.

Indissociable de la visite de la cathédrale, le musée consacré à l'art alsacien du Moyen Âge et de la Renaissance présente ses collections dans les deux ailes de la maison de l'Œuvre, datant de 1347 et de 1578-1585, ainsi que dans l'ancienne hôtellerie du Cerf (14e s.) et dans une maison du 17e s., le tout groupé autour de quatre petites cours, dont la cour du Cerf, aménagée en jardinet médiéval. Ce jardinet restitue l'environnement du *Paradisgärtlein*, jardin d'Éden représenté dans la peinture et la gravure alsaciennes du Moyen Âge.

Du vestibule (sculptures préromanes), on accède aux salles de la sculpture romane et à la salle des vitraux (12ᵉ et 13ᵉ s.), provenant en partie de la cathédrale romane ; on y voit le cloître des bénédictines d'Eschau (12ᵉ s.) et la célèbre **Tête de Christ**★★ de Wissembourg, le plus ancien vitrail figuratif connu (vers 1070).

De là, on traverse la cour de l'Œuvre, à l'ornementation mi-flamboyante mi-Renaissance, pour pénétrer dans l'ancienne salle de séance de la Loge des maçons et tailleurs de pierre, dont les boiseries et le plafond datent de 1582. À la suite, la grande salle de l'hôtellerie du Cerf montre l'œuvre des ateliers qui se sont succédé au 13ᵉ s. sur le chantier de la cathédrale

Au 1ᵉʳ étage, importante collection d'orfèvrerie strasbourgeoise du 15ᵉ au 17ᵉ s. Le 2ᵉ étage est consacré à l'évolution de l'art alsacien au 15ᵉ s. ; dans des salles à boiseries et plafonds de l'époque, sculptures et **peintures**★★ de l'école alsacienne : Conrad Witz et primitifs alsaciens, Nicolas de Leyde. On redescend au 1ᵉʳ étage par le bel escalier à vis de 1580.

Dans l'aile **Renaissance**, salle consacrée à Hans Baldung dit Grien (1484-1545) : élève de Dürer, ce peintre et dessinateur est le principal représentant de la Renaissance à Strasbourg.

L'aile est présente du mobilier alsacien et rhénan et la sculpture des 16ᵉ et 17ᵉ s. ; collection de natures mortes du 17ᵉ s., de Sébastien Stoskopff (1597-1657) en particulier ; miniatures, intérieurs et costumes strasbourgeois du 17ᵉ s., verreries.

Musée historique★★ D6

3 pl. de la Grande-Boucherie - ☎ 03 88 52 50 00 - www.musee-strasbourg.org - tlj sf lun. 12h-18h, w.-end 10h-18h - 5 € (-18 ans gratuit) - audioguide.

Après plus de vingt ans de travaux, d'enrichissement du fonds et de restauration des collections, le Musée historique de Strasbourg, créé en 1920 et installé dans les bâtiments de l'ancienne Grande Boucherie (1586), poursuit sa métamorphose. Une muséographie d'avant-garde guide le visiteur à travers trois époques importantes dans l'histoire de la ville. Faites tout d'abord connaissance avec la **ville libre du Saint Empire romain germanique** (1262-1681) grâce aux objets trouvés lors des fouilles archéologiques (monnaie, étoffes, partie d'enceinte). Les armes et armures permettent de comprendre le rôle des corporations et de l'armée ; quant à Gutenberg et sa fameuse invention, ils n'auront plus de secret pour vous ! Autre élément important de l'histoire de Strasbourg : son rôle dans la Réforme. La visite se poursuit avec la **ville royale et révolutionnaire** (1681-1800), notamment le rattachement de Strasbourg à la France, le 30 septembre 1681. Les garnisons royales font alors vivre l'ancienne ville libre selon la mode parisienne : profitez-en pour essayer un chapeau ou un corset ! Pièce maîtresse du musée, le **plan-relief**★ de Strasbourg réalisé par Ladevèze en 1727 permet de voir la ville et ses fortifications. On trouvera aussi dans cette partie une évocation de

La place du Marché aux Cochons de Lait, très animée aux beaux jours.

R. Mattes / hemis.fr

La Marseillaise créée à Strasbourg ainsi que le grand bonnet phrygien en tôle qui ornait la permanence du club des Jacobins de Strasbourg. La dernière partie *(en cours d'aménagement, ouverture prévue fin 2011/début 2012)* concerne la **naissance d'une métropole** (19e et 20e s.).

Place du Marché-aux-Cochons-de-Lait★ D6

Cette petite place charmante, très animée avec ses nombreux restaurants, est bordée d'édifices anciens. Le plus intéressant, une maison du 16e s., dont les galeries de bois datent du 17e s., se trouve au n° 8.

Rue du Vieux-Marché-aux-Poissons D6

Au n° 2, on aperçoit la maison natale du sculpteur Jean Arp. Au n° 4, l'**ancienne douane**, vaste édifice aux pignons crénelés, reconstruit en 1965, était autrefois l'entrepôt de commerce fluvial de la ville. Elle abrite des expositions temporaires ainsi qu'un restaurant (📍 *p. 22*). En remontant la rue vers la place Gutenberg, la place des Tripiers, à gauche, abrite également de jolies maisons à colombages.

Pont du Corbeau D6-7

De cet ancien pont des Supplices, on plongeait dans l'Ill, jusqu'à ce que mort s'ensuive, les infanticides et les parricides dans des sacs cousus. De l'autre côté débute le quartier de la Krutenau.

Place Gutenberg C-D6

Gutenberg a séjourné à Strasbourg de 1434 à 1444, période pendant laquelle il inventa l'imprimerie. La ville ne pouvait que lui rendre hommage et la statue du centre de la place, réalisée par David d'Angers, le représente tenant un feuillet qu'il vient d'imprimer avec ces mots de la Genèse : « Et la lumière fut. » Dos à la statue de Gutenberg, la chambre de commerce et d'industrie ; ce bâtiment Renaissance logeait les conseils de la ville libre jusqu'à ce que la ville devienne française en 1681.

La place accueille aussi deux brasseries au cadre authentique (📍 « Aux Armes de Strasbourg » *p. 23*). Les amateurs de shopping rejoindront quant à eux la très commerçante rue des Grandes-Arcades, en direction de la place Kléber.

Les enfants auront l'occasion de se détendre un peu en grimpant sur le beau manège installé sur la place, de mi-avril à la Toussaint.

Rue des Orfèvres, rue du Chaudron, rue du Sanglier, place du Marché-Neuf D5-6

Juste au nord de la cathédrale, ce « quartier dans le quartier » rassemble quelques-unes des meilleures adresses de bouche de Strasbourg. Ne ratez pas la rue des Orfèvres et ses fromagers, pâtissiers-chocolatiers ou traiteurs. Rue du Chaudron et rue du Sanglier se nichent Le Clou et Chez Yvonne, deux des *winstubs* les plus réputées de Strasbourg (📍 *p. 24*).

Enfin, la place du Marché-Neuf, « fermée » par un ensemble d'immeubles et agrémentée d'une fontaine et de trois grands arbres, plaira aux adeptes de tranquillité urbaine.

Place du Marché-Gayot D6

Située à l'arrière de la cathédrale, par la rue des Frères, cette place surnommée PMG par les Strasbourgeois est devenue une agora dédiée aux cafés et aux restaurants. Très animée aux beaux jours avec ses terrasses, un rien branchée, elle attire les touristes et la jeunesse qui n'hésitent pas à dépenser, plus qu'il n'est mérité parfois, pour sacrifier au rituel… À côté, au n° 6 de la rue des Écrivains, remarquez la maison où venait Gustave Doré, enfant (👆 p. 118).

Place Saint-Étienne et rues adjacentes D-E5-6

Proches de l'Ill, cette place tranquille et les rues qui l'entourent combinent atmosphère résidentielle et festive. Maison d'angle à colombages sur la place, ambiance de village place et ruelle Saint-Médard, passage couvert vers la rue des Veaux et collège épiscopal rue de la Courtine font écho à l'animation nocturne des bars des rues du Parchemin, des Veaux et des Sœurs. Agréable balade sur les berges de l'Ill depuis le quai au Sable, se prolongeant par le quai Saint-Étienne, puis par un chemin au bord de l'eau. En un petit quart d'heure, on peut ainsi rejoindre la passerelle des Juifs et le Pont du Théâtre (**D4**).

59

LA MARSEILLAISE EST STRASBOURGEOISE !
Le 24 avril 1792, Frédéric de Dietrich, premier maire constitutionnel de Strasbourg, offre un dîner d'adieux aux volontaires de l'armée du Rhin. La France a déclaré la guerre à l'Autriche et les troupes doivent être entraînées par un chant digne de leur enthousiasme. « Voyons, Rouget, vous qui êtes poète et musicien, faites-nous donc quelque chose qui mérite d'être chanté », dit Dietrich. Le Chant de guerre pour l'armée du Rhin, *repris par les soldats républicains marseillais entrant à Paris lors de l'insurrection des Tuileries, devint alors* La Marseillaise.

Les places Kléber et Broglie

Bordé au nord par le canal du Faux-Rempart, le large quartier développé autour de ces deux places, à l'intérieur de la Grande Île, allie le charme des hôtels particuliers à celui des rues marchandes d'aujourd'hui. Caractérisé par le calme qui sied aux anciens quartiers nobles et de chanoines, le secteur de la place Broglie s'oppose à celui des places Kléber et de l'Homme-de-Fer, porté par la consommation urbaine contemporaine.

➜**Accès :** tram ligne A, B ou D, station Homme-de-Fer ou tram ligne B ou C, station Broglie.
➜**Conseil :** Ce secteur urbain mérite d'être visité en deux temps : un pour le patrimoine (place Broglie et alentour), l'autre pour le shopping (place Kléber et rues voisines).

Place Kléber C5

Cette grande place piétonnière est bordée au nord par l'Aubette, esthétique bâtiment du 18e s. ainsi nommé parce que, à l'aube, les corps de la garnison venaient y chercher les ordres. Transformée depuis en galerie commerciale, l'Aubette accueille dans la vaste salle du 1er étage des expositions temporaires, qui permettent de profiter d'un panorama inédit sur la place.
Au centre de celle-ci trône la statue de Kléber, glorieux enfant de la cité (👉 *p. 118*). Le socle de la statue, illustré de deux bas-reliefs qui représentent ses victoires d'Altenkirchen et d'Héliopolis, énumère ses titres de gloire.

Autour de la place, commerces et grandes enseignes de la distribution (dont la Librairie Internationale Kléber) soulignent sa vocation marchande. Juste à côté, par la rue des Grandes-Arcades, tournez à gauche dans la rue de la Haute-Montée. Au n° 4 trône la *kleine Metzig* (la petite boucherie), curieux bâtiment néogothique.

Place de l'Homme-de-fer
C5

C'est l'un des carrefours majeurs de la ville : quatre des six lignes de tramways s'y croisent ! Cette place très urbaine et très fréquentée, donc, dominée par l'immeuble du magasin Le Printemps,

L'HOMME DE FER
En 1740, un arquebusier tient boutique à l'enseigne de « l'Homme de Fer » (Zum Eisernen Mann) et décore la maison de la figure grandeur nature d'un sergent de la patrouille municipale de la fin du 16e s. C'est lui qui donne son nom à la place.

Fresque dite de la marche des nations européennes vers la croix du 14e s., église protestante Saint-Pierre-le-Jeune.

est surmontée d'une rotonde circulaire en verre qui lui confère un aspect avant-gardiste inédit.

Alentour, les rues du Vieux-Marché-aux-Vins, du Jeu-des-Enfants, du 22-Novembre (voir la vénérable maison Kirn, primeur-tripier-charcutier-crémier_boulanger…, au n° 17-19), des Tanneurs sont celles du shopping roi, avec leurs magasins de vêtements, de chaussures, leurs coiffeurs et agences de voyages…

Église St-Pierre-le-Jeune
C5

✆ 03 88 32 41 61 - ♿ - 28 mars-1er nov. : 10h30-18h, lun. 13h-18h ; 1er-23 déc. : w.-end 12h-17h - gratuit.

Trois églises furent construites au même endroit. De celle du 7e s. il reste un caveau avec cinq niches funéraires attribué à la fin de l'époque romaine (4e s.), et de l'église de 1031 un très joli petit **cloître★**, auquel la restauration achevée en 2005 a rendu tout son éclat. Servant au culte protestant, l'église actuelle, dominée par sa flèche verte, date de la fin du 13e s. C'est, à notre sens, la plus belle de Strasbourg.

À l'intérieur, un beau **jubé** gothique, orné de peintures de 1620 représentant les quatre évangélistes, côtoie un magnifique orgue Silbermann de 1780. Au fond de la nef, la fresque rmontrant la tempête apaisée par le Christ, sur le lac de Tibériade, scène éloquente dans une ville qui connut plus d'un conflit !

Rue de la Nuée-Bleue C5

Remarquez au n° 25 l'hôtel d'Andlau, de 1732. Au n° 17-21 siège la rédaction du quotidien régional *Les Dernières Nouvelles d'Alsace* (*DNA*). L'imprimerie se trouve toujours sur place et le journal est affiché chaque jour, page par page, sous le porche d'entrée. Si vous êtes dans le secteur, c'est une façon pratique de jeter un œil sur les informations locales et de trouver la soirée ou le spectacle à ne pas manquer !

Quai Schoepflin C-D4

Longeant le canal du Faux-Rempart, relié en deux endroits à l'Ill (et justifiant ainsi l'appellation « Grande Île » donnée au centre ancien de Strasbourg, enserré entre les bras de l'un et de l'autre), ce quai ouvre successivement la vue sur le palais de justice et l'église catholique Saint-Pierre-le-Jeune, en grès rose, puis sur la place de la République. Toutes ces curiosités se trouvent sur la rive opposée.

La grande et belle maison forte située au bout du quai, à hauteur du pont du Théâtre, abrite les services de l'armée.

Rue du Fil C4-5

Un îlot résidentiel où subsistent de belles maisons à colombages, comme celles des n°s 9 et 11.

Place Broglie D5

Cette place rectangulaire plantée d'arbres a été ouverte au 18e s. par le maréchal de Broglie, gouverneur

FOIE GRAS À L'ALSACIENNE

Le maréchal de Contades, gouverneur militaire de l'Alsace installé à Strasbourg depuis 1762, souhaita un jour régaler ses hôtes de marque avec un mets hors du commun. Il en fit la commande à son jeune cuisinier, Jean-Pierre Clause, qui eut l'idée d'entourer des foies entiers d'oies alsaciennes d'une farce de veau et de lard finement hachés, puis d'enfermer le tout dans une croûte de pâte qu'il laissa cuire et dorer à feu doux. Adopté par Louis XVI à Versailles, le foie gras devint ainsi une nourriture royale et un produit de luxe.

d'Alsace. À l'est, au fond de la place, l'opéra est orné de colonnes et de muses sculptées par Ohmacht (1820). Au sud se dresse l'**hôtel de ville★ (D5)** du 18ᵉ s., élevé par Massol, ancien hôtel des comtes de Hanau-Lichtenberg, puis des landgraves de Hesse-Darmstadt. La place abrite aussi le siège régional de la Banque de France, au n° 3.

Tous les mercredis et vendredis, un marché se tient place Broglie, mais c'est surtout en décembre, à l'occasion du formidable marché de Noël, que l'animation bat son plein.

Quai Lezay-Marnésia D5

Le quai est bordé par la majestueuse **façade** de la résidence du préfet (1736), ancien **hôtel de Klinglin** (« prêteur royal »). En face, la jolie passerelle des Juifs, sur le canal du Faux-Rempart, donne accès au quartier allemand.

Au n° 1 du quai se trouve le siège de la Fondation européenne de la science. Cette association européenne créée en 1974 fédère plus de 70 agences nationales de financement de la recherche scientifique, dans 29 pays.

Rue des Récollets, rue Brûlée D5

Ce quartier avoisinant la place Broglie était habité par la haute noblesse et la grande bourgeoisie. On peut y admirer plusieurs hôtels du 18ᵉ s.

Au n° 19 de la rue Brûlée, remarquez le portail de l'hôtel de Klinglin, au n° 16 l'archevêché, puis au n° 13 l'ancien **hôtel des Deux-Ponts (D5)** (1754), actuelle résidence du gouverneur militaire de Strasbourg.

La Petite France ★★

Cet ancien quartier de pêcheurs, de meuniers et de tanneurs occupe le quart sud-ouest de la « Grande Île ». Ces métiers s'y étaient installés car ils nécessitaient de grandes quantités d'eau, l'un pour le traitement des peaux, l'autre pour le fonctionnement des roues à aube des moulins. Aujourd'hui, c'est l'un des lieux les plus attractifs du vieux Strasbourg. Avec ses maisons à colombages des 16e et 17e s., son entrelacs de ruelles et le charme indéfectible de ses quais et passages au bord de l'Ill, la Petite France est un quartier très touristique qui n'en a pas moins conservé une atmosphère intimiste idéale pour séduire les amateurs de promenades romantiques.

➔**Accès :** tram ligne A ou D, station Grand'Rue, puis 10mn à pied par la Grand'Rue, ou tram ligne B ou C, station Alt Winmärik., puis 7mn à pied par les rues Doré, des Aveugles et de l'Amant.

➔**Conseil :** l'une des plus agréables façons de découvrir la Petite France est de faire une croisière sur l'Ill et d'admirer les jeux de lumière sur les belles maisons qui bordent la rivière.

Pont St-Martin C6

Depuis ce pont qui enjambe l'Ill, la **vue**★ donne sur le quartier des tanneurs. La rivière se divise à cet endroit en quatre bras (on voit encore des moulins à eau, des barrages et des écluses).

Place Benjamin-Zix★ B6

Cette jolie place au bord de l'Ill, ombragée de platanes, offre une agréable synthèse de l'atmosphère du quartier, avec ses maisons fleuries à colombages, la quiétude de la rivière et le pont tournant du Faisan.

Rue du Bain-aux-Plantes★★ B6

Elle est bordée de vieilles maisons de la Renaissance alsacienne (16e-17e s.), à encorbellement, pans de bois, galeries et pignons. Soyez attentif aux nos 25, 27 et 31 (1651), et à l'étroitesse du no 33 (à l'angle de la rue du Fossé-des-Tanneurs et de la rue des Cheveux). Continuez jusqu'à la maison des Tanneurs (Gerwerstub), de 1572, au no 42, au bord du canal.

Pont du Faisan★ B6

Cet adorable petit pont piétonnier sur l'Ill, entre la rue du Bain-aux-Plantes et le quai de la Petite-France, a la particularité de pivoter pour laisser la place aux bateaux. Autant dire qu'en haute saison, les manœuvres ne manquent pas ! Celles-ci sont assurées conjointement par un employé des Voies navigables de France (VNF) et un autre du Port autonome de Strasbourg. L'espace de quelques instants, ils ferment le passage aux piétons. Un « spectacle » curieux à découvrir en pleine ville.

Les Ponts couverts, sur l'Ill

D'OÙ VIENT LE NOM DE « PETITE FRANCE » ?

Il provient de l'hôpital qui fut installé dans le quartier au 16ᵉ s. pour les soldats de François Iᵉʳ, dont beaucoup étaient atteints de la syphilis, ou « mal français », comme aimaient à ironiser les Allemands de l'époque.

Quai de la Petite-France B6

Sur la rive droite de l'Ill, le quai longe l'aire de navigation et offre un **coup d'œil★** romantique sur les façades colorées des vieilles maisons médiévales qui se reflètent dans l'eau. Par un cheminement de berge tout aussi agréable, parallèle à la rue des Moulins, il est possible de rejoindre le pont Saint-Martin en longeant l'écluse.

Ponts couverts★ B6

C'est une enfilade de trois ponts enjambant les bras de l'Ill, gardés chacun par une tour carrée et massive, reste des anciens remparts du 14ᵉ s., et autrefois reliés par des ponts de bois couverts, disparus au 18ᵉ s.

Barrage Vauban B6-7

60 marches. ☎ *03 88 60 90 90. Le barrage est fermé pour travaux jusqu'en mai 2011.* De la terrasse panoramique *(table d'orientation ; longue-vue)* aménagée sur toute la longueur du pont-casemate, dit « barrage Vauban » (reste de l'enceinte de Vauban, construite à la fin du 17ᵉ s.), impressionnant **panorama★★** sur les ponts couverts et leurs quatre tours au premier plan, le quartier de la Petite France et ses canaux en arrière, la cathédrale à droite et sa jolie teinte

cuivrée, sous les rayons du soleil. Par le passage Georges-Frankhauser *(fermé jusqu'en mai 2011)*, au rez-de-chaussée du barrage Vauban, on peut gagner le musée d'Art moderne et contemporain. On peut aussi choisir de rejoindre le musée en longeant le quai Matthis, à l'arrière du barrage *(accès par la droite du bâtiment du Conseil général du Bas-Rhin)*, puis en franchissant l'Ill par le pont Matthis.

Musée d'Art moderne et contemporain★★ B6-7

1 pl. Hans-Jean-Arp - ☎ *03 88 23 31 31 - www.musees-strasbourg.org -* ♿ *- possibilité de visite guidée - tlj sf lun. et j. fériés 12h-19h (jeu. 21h), w.-end 10h-18h - 6 € (-18 ans gratuit), 1ᵉʳ dim. du mois gratuit. Restaurant (♨ p.26). Librairie.* Élevé au bord de l'Ill, ce bâtiment a été réalisé par Adrien Fainsilber. Une nef centrale vitrée dessert les salles d'exposition, présentant un vaste panorama de l'art moderne et contemporain.

Au rez-de-chaussée, les œuvres exposées illustrent la diversité des langages picturaux qui, des peintures du maître de l'académisme William Bouguereau (*La Vierge consolatrice*) aux œuvres abstraites de Kandinsky, Poliakoff ou Magnelli, ont marqué

l'histoire de l'**art moderne des années 1850 aux années 1950**. Des impressionnistes (Renoir, Sisley, Monet), des toiles de Signac, quelques nabis (Gauguin, Vuillard, Maurice Denis). L'art au tournant du 20e s. est représenté par un groupe d'œuvres symbolistes.
Le bureau dessiné par Arp, le tapis de Sophie Taeuber côtoient des pièces liées au Bauhaus, au mouvement De Stijl et à l'esprit moderne. Plusieurs salles sont consacrées à Arp et à sa femme, Sophie Taeuber-Arp (auteurs avec Theo Van Doesburg d'un ensemble de vitraux), qui font revivre les décors intérieurs « constructivistes » (1926-1928) de l'Aubette, bâtiment du 18e s. situé place Kléber (♻ p. 60). Une salle est entièrement réservée à l'œuvre sculptée de Jean Arp.
Liés au fauvisme ou à l'expressionnisme, des artistes comme Marinot, Dufy, Vlaminck ou Campendonk font exploser la couleur pure et violente. À l'opposé, la *Nature morte* (1911) de Georges Braque est une œuvre type du cubisme. En réaction à la Première Guerre mondiale, le mouvement dada élabore des œuvres dérisoires, voire absurdes (Janco, Schwitters). À sa suite, les surréalistes, avec Victor Brauner, Max Ernst et Arp, cherchent à introduire l'onirisme dans leurs œuvres.
Le mobilier et les grandes compositions en marqueterie de Charles Spindler, les sculptures de Carabin, Ringel d'Illzach et Bugatti, ainsi que des vitraux réalisés au début du 20e s. à Strasbourg témoignent du renouvellement de l'art et des arts

décoratifs en Alsace autour de 1900.
La salle Doré a été spécialement conçue pour présenter l'immense toile peinte par l'illustrateur Gustave Doré en 1869, *Le Christ quittant le prétoire*. Un balcon situé à l'entrée du restaurant permet d'avoir une vue plongeante sur cette salle.
Le 1er étage est consacré à l'**art contemporain des années 1950 à nos jours**. Dans la première salle, les œuvres de Picasso, Richier, Pinot-Gallizio, Kudo et Baselitz reflètent les incertitudes du temps. La salle suivante évoque le mouvement Fluxus avec Filliou, Brecht, et l'arte povera avec des œuvres de Kounellis, Penone, Merz, qui cherchent à dévoiler l'énergie des objets les plus simples. Puis ce sont les années 1960-1970 avec les expérimentations de Buren, Parmentier, Toroni, Rutault, Morellet, Lavier. Toni Grand, Miroslav Balka, Christian Boltanski, Philippe Ramette, Maurice Blaussyld, Javier Pérez représentent les années 1980-1990. On découvre également les installations de Collin-Thiébaut (*Un musée clandestin à Strasbourg*) et de Sarkis (*Ma chambre de la Krutenau en satellite*), artistes ayant vécu ou travaillé à Strasbourg.

Commanderie St-Jean (ENA) B6

1 r. Sainte-Marguerite - ☎ 03 88 21 44 44 - www.ena.fr. Ne se visite pas (excepté lors des Journées du patrimoine, en sept.).
Située à l'entrée du quartier de la Petite France, au bord du canal du Faux-

Rempart, la commanderie Saint-Jean a été construite dès le 13e s. et servit de lieu de culte aux Hospitaliers de Saint-Jean-de-Jérusalem. Abandonnée au début du 17e s., elle retrouve une nouvelle vocation à partir de 1740 en devenant une maison de détention, qui ne fermera définitivement ses portes qu'en 1989.

Entamés en 1992, les travaux de rénovation permettent l'année suivante l'installation de l'ÉNA, l'École nationale d'administration. Fleuron de la formation des hauts fonctionnaires français, l'ÉNA accueille chaque 120 élèves en cursus initial et plus de 2 500 fonctionnaires et cadres dirigeants en formation continue.

Remarquez le bâtiment aux peintures en trompe l'œil et aux fenêtres ornées de boiseries, construit en 1548 et situé à l'entrée de la commanderie.

Église St-Pierre-le-Vieux
B6

Deux églises sont ici juxtaposées, l'une catholique, l'autre protestante. Dans le transept gauche de l'église catholique (reconstruite en 1866), panneaux en bois sculpté (16e s.), œuvre de Veit Wagner, montrant des scènes de la vie de saint Pierre et de saint Valère. Au fond du chœur, **scènes★** de la Passion (fin 15e-début 16e s.) attribuées au peintre strasbourgeois Henri Lutzelmann. Dans le bras droit du transept, **panneaux peints★** de l'école de Schongauer (15e s.) sur le thème de la Résurrection et des apparitions du Christ.

Grand'Rue B-C6

Artère commerçante et piétonne qui marque la frontière nord du quartier de la Petite France, la Grand'Rue est bordée de jolies maisons du 16e au 18e s. Observez notamment, au n° 120, la cour entourée de vénérables demeures recouvertes de lierre.

Église St-Thomas C6

☏ 03 88 32 14 46 - www.saint-thomas-strasbourg.org - fermé en janv. - fév. lun.-sam. 14h-17h - mars, nov.-déc. 10h-17h, avr.-oct. 10h-18h. Trait d'union entre le quartier de la Petite France et celui de la cathédrale, cette église à cinq nefs en pierre rouge et à clocher carré, reconstruite à la fin du 12e s., est devenue église luthérienne en 1529, puis cathédrale protestante. On peut y voir une copie du clavier de l'orgue Silbermann. En ces lieux jouèrent Mozart puis Albert Schweitzer. L'édifice est surtout célèbre pour son **mausolée du maréchal de Saxe★★**, l'une des œuvres maîtresses de Pigalle (18e s.). Sur le mausolée, la France en larmes, tenant le maréchal par la main, s'efforce d'écarter la Mort. La Force, symbolisée par Hercule, s'abandonne à sa douleur, tandis que l'Amour pleure, éteignant son flambeau. À gauche, un lion (la Hollande), un léopard (l'Angleterre) et un aigle (l'Autriche) sont rejetés, vaincus, sur des drapeaux froissés.

Façade à colombages dans la Petite France

B. Gardel / hemis.fr

La Krutenau

Sur la rive droite de l'Ill, face à la Grande Île et à la cathédrale, la Krutenau est un ancien quartier populaire. Réhabilité depuis les années 1970, il accueille désormais une population urbaine jeune. Avec ses quais animés et ses rues jalonnées de cafés, il vibre surtout le soir, au rythme d'une clientèle étudiante et gentiment alternative.

➜**Accès :** à pied depuis le quartier de la cathédrale, par les ponts du Corbeau ou Sainte-Madeleine. En bus, depuis la gare ou le quartier de l'Europe, ligne 10, arrêt Corbeau, Bateliers ou Saint-Guillaume.

➜**Conseil :** Peu animé la journée et assez pauvre en grands monuments, le quartier est plus à son avantage le soir. C'est alors qu'on profite le mieux de l'atmosphère.

Cour du Corbeau★ D7

Entrée par le 1 quai des Bateliers. Récemment restaurée, cette cour présente un exceptionnel exemple d'architecture à pans de bois du 16ᵉ s., véritable dédale de galeries et de coursives. L'ancienne auberge, qui, jusqu'au 19ᵉ s., vit défiler le maréchal de Turenne, le duc de Bavière et un roi de Pologne, est aujourd'hui un hôtel de luxe *(la Cour du Corbeau, ♿ p. 20).*

Quai St-Nicolas C-D7

Il est agrémenté de belles maisons anciennes. Trois d'entre elles ont été transformées en musées. Pour la petite histoire, Pasteur habita au n° 18.

Musée alsacien★★ D7

23-25 quai Saint-Nicolas - ☎ 03 88 52 50 01 - www.musees-strasbourg.org - possibilité de visite guidée sur RV - tlj sf mar. 12h-18h, w.-end et j. fériés 10h-18h - fermé 1ᵉʳ janv., Vend. saint, 1ᵉʳ Mai, 1ᵉʳ et 11 Nov. et 25 déc. - 5 € (-18 ans 2,50 €), 1ᵉʳ dim. du mois gratuit.

Ce musée d'art populaire est installé dans trois incroyables maisons des 16ᵉ et 17ᵉ s. qui valent à elles seules le déplacement. Il raconte le passé et les traditions de l'Alsace. Empruntant le dédale des escaliers et galeries de bois des cours intérieures, le parcours permet de découvrir une multitude de petites salles au cachet alsacien. On y admire des collections de costumes, d'imagerie, de jouets anciens, de masques « cracheurs » de farine provenant des moulins, mais surtout des reconstitutions d'intérieurs anciens tels que le laboratoire de l'apothicaire alchimiste et des chambres à boiseries, avec leurs lits clos, leurs meubles en bois peint, leurs coffrets de courtoisie et des poêles monumentaux. Musée typique où l'atmosphère est chaleureuse, à l'image de la « stub », pièce commune fort bien reconstituée en fin de parcours.

Quai des Bateliers, quai des Pêcheurs D6 - E5-6

Faisant face aux édifices du secteur cathédrale, sur l'autre rive de l'Ill, ces deux quais aux maisons anciennes concentrent une part importante de l'activité commerciale de la Krutenau. Aux restaurants et aux commerces traditionnels du quai des Bateliers succèdent les péniches amarrées du quai des Pêcheurs, transformées en bars-restaurants ou music-bars et volontiers fréquentées par la clientèle étudiante (le campus universitaire se trouve à deux pas).

Depuis le quai des Bateliers, n'hésitez pas à vous faufiler dans l'impasse de l'Ancre pour découvrir au n° 15, tout au fond, une très ancienne maison à colombage joliment restaurée.

Église protestante St-Guillaume E6

Face au pont Saint-Guillaume.
Sa construction s'échelonna de 1300 à 1307. De beaux vitraux (1465) dus à Pierre d'Andlau éclairent la nef. Mais c'est le tombeau double (14ᵉ s.) à étage des frères de Werd qui fait la curiosité de l'église : sur la dalle inférieure, Philippe en habit de chanoine ; au-dessus, sur deux lions, comme suspendu, Ulrich en habit de chevalier.
Belle façade toute blanche qui tranche avec les ardoises noires recouvrant le clocher effilé.

École supérieure des arts décoratifs E6

1 r. de l'Académie - ☎ 03 69 06 37 77 - www.esad-stg.org
À voir pour les magnifiques fresques peintes sur la façade de l'établissement. L'école accueille parfois des expositions et dispose d'une galerie, La Chaufferie *(5 r. de la Manufacture-des-Tabacs - ☎ 03 69 06 37 78)*, qui propose une programmation régulière d'expositions d'art contemporain.

Place du Pont-aux-Chats E6

Cette place abrite la plus ancienne fontaine de Strasbourg, dite fontaine des Zurichois (1884). Elle évoque un épisode de 1576 durant lequel les Zurichois apportèrent de la nourriture par voie fluviale à leurs alliés strasbourgeois. La fontaine accueille un buste de l'écrivain Fischart, auteur d'un poème relatant cette épopée fluviale.

Place de Zurich et alentour E6

Agréable agora piétonne et résidentielle au cœur de la Krutenau, la place de Zurich est bordée de plusieurs rues jalonnées de bars et de restaurants fréquentés (rue Sainte-Catherine, rue des Forges…). C'est sur cette place que l'on trouve le célèbre restaurant *Au Renard Prêchant*, aménagé dans une chapelle du 16ᵉ s. *(👆 p. 26)*.
La place héberge un marché tous les mercredis matin et accueille chaque année en juin la fête de la Krutenau.

71

Église Ste-Madeleine D6

Sur le site d'un ancien couvent du 15ᵉ s., détruit par un incendie en 1904, une église catholique a été construite, intègrant les restes de l'ancienne construction. Dévastée par le bombardement américain de septembre 1944, l'église est reconstruite à l'identique en 1958.
Remarquez la vieille bâtisse qui trône sur la place, à l'avant de l'église.

Rue Ste-Madeleine D6-7

Donnant sur le quai des Bateliers, cette rue piétonne est bordée de quelques magasins de mode et cache de jolies maisons à colombages, comme dans l'impasse des Pénitents.

Place des Orphelins D7

Au bout de la rue Sainte-Madeleine, une place de quartier résidentielle et tranquille, assez ombragée. Trois restaurants et leurs terrasses lui confèrent une atmosphère conviviale.

Rue d'Austerlitz D7

Principale rue commerçante du quartier, cet axe piétonnier assure une sorte de continuité marchande avec le secteur cathédrale, dont elle n'est séparée que par la place et le pont du Corbeau. Nombreuses boutiques de vêtements et d'alimentation. La rue débouche au sud sur la place d'Austerlitz, dont l'intérêt est moindre.

Hospices de Strasbourg D7

1 pl. de l'Hôpital - ☏ 03 88 11 64 27 - visite guidée sur demande à Philippe Junger, responsable de la Cave historique.
L'Hôpital civil de Strasbourg en impose. Long de 145 m, il a été construit en 1721 au milieu d'autres bâtiments plus anciens, comme la pharmacie, épargnée par un incendie. Son toit orné de quatre rangées de lucarnes est agrémenté d'un clocheton. À l'intérieur, de beaux escaliers baroques donnent du caractère à ces hospices. Témoin de la place du vin dans l'histoire hospitalière, les caves revivent aujourd'hui sous l'impulsion de viticulteurs alsaciens de renom.

J. Loïc / Photononstop

La gracieuse enseigne du Musée alsacien

Le quartier allemand

Étendu au nord-est de la Grande Île, ce vaste quartier résidentiel et monumental a été construit après la défaite française de 1870. L'Allemagne venant d'annexer l'Alsace décide alors de faire de Strasbourg la capitale du Reichsland. Elle fait élever un grand nombre d'édifices publics où se côtoient les styles néogothique, néo-Renaissance et néobaroque, avec quelques immeubles Jugendstil aux proportions plus harmonieuses.

➜**Accès :** tram ligne B, C ou E, station République.

➜**Conseil :** entre le palais de justice et l'Université, le quartier est assez étendu. Il peut être judicieux de louer un vélo pour le parcourir.
Au cœur du quartier allemand, le parc des Contades (👣 *p. 90)* constitue une halte agréable pour une pause ou un pique-nique.

Place de la République D4

Lien entre la vieille ville et la *Neustadt*, l'ancienne place Impériale, érigée entre 1871 et 1918, est un vaste carré dont la partie centrale a été aménagée en jardin circulaire, avec arbres, fleurs et bancs. Au centre s'élève le monument aux morts sculpté par Drivier (1936). Il représente une mère avec ses deux fils, l'un mort pour la France, l'autre pour l'Allemagne.
À gauche, le **palais du Rhin (D4)**, est l'ancien palais impérial (1883 à 1888). Il abrite les services de la Drac (Direction régionale des Affaires culturelles) et la Commission centrale pour la navigation du Rhin. Cette commission, créée en 1816, est l'une des plus anciennes organisations internationales. Elle réunit les États riverains du Rhin (Allemagne, Belgique, Pays-Bas, France, Suisse) et a pour but de favoriser la prospérité et la sécurité de la navigation rhénane. Installée dans le palais depuis 1920, elle lui a donné son nom. Un petit jardin public est aménagé à l'arrière du palais. En face de la place, deux bâtiments monumentaux encadrent l'avenue de la Paix : côté gauche, l'édifice des Finances publiques ; côté droit, la préfecture de la Région Alsace et du Bas-Rhin.
À droite, enfin, la Bibliothèque nationale universitaire *(fermée pour travaux jusqu'en 2014)* et le Théâtre national de Strasbourg (👣 *p. 32)*, occupant l'ancien palais du Landtag d'Alsace-Lorraine, sont installés de part et d'autre de l'avenue Victor Schoelcher.

Quai Sturm D4

Au n° 7 se trouve le siège de l'Eurocorps. Cette institution européenne a été créée en 1992 par la France et l'Allemagne pour renforcer les liens stratégiques entre les deux pays. Elle regroupe aujourd'hui cinq pays « cadres » (Allemagne, France, Belgique, Espagne, Luxembourg). Neuf autres nations y sont représentées. Les militaires de l'Eurocorps peuvent être engagés dans des opérations pour la défense commune des alliés, le maintien de la paix et dans des actions humanitaires.

Église catholique St-Pierre-le-Jeune D4

Pl. Charles-de-Foucauld, à l'angle des rues du Gal-Castelnau et Finkmatt.
Reconnaissable à sa façade en grès rose et à son dôme vert, cette église située en marge du quartier allemand, a été construite à la fin du 19e s., dans un style néoromantique. Elle abrite une très vaste coupole (50 m de haut) sous laquelle est suspendu un lustre gigantesque.

Palais de justice C4

Quai Finkmatt.
Placé à côté de l'église catholique Saint-Pierre-le-Jeune et faisant face à la Grande Île, le palais de justice a été également édifié à la fin du 19e s. Sa façade est de style néogrec, avec un portique à colonnes surmonté d'un fronton. L'édifice devrait être entièrement rénové à partir de 2013.

Maison égyptienne D3

10 r. du Gal-Rapp.
La façade de ce surprenant immeuble de 1905 mêle Art nouveau et orientalisme.

Rue Dürkheim, rue Schwendi, rue Sellénick D3

Ces rues sont un bel exemple de l'habitat collectif résidentiel construit dès le tournant du 20e s., au-delà des édifices monumentaux de la place de la République. Elles accueillent notamment des membres de l'importante communauté juive de Strasbourg, à deux pas de leur principal lieu de culte, la synagogue du parc des Contades.

Maison de la télévision France 3-Alsace E2

Pl. de Bordeaux, par l'av. de la Paix et le parc des Contades. Construite en 1961, elle porte sur sa façade concave une monumentale composition sur céramique de Lurçat, symbolisant la création du monde.

L'ALLEMAGNE À STRASBOURG

En 1871, Strasbourg devient la capitale d'un Reichsland de l'empire allemand. L'ensemble du quartier allemand, englobant l'université et l'Orangerie, a été construit dans l'intention d'y déplacer le centre de la ville. Ces quartiers aux larges artères, comme les avenues des Vosges, d'Alsace et de la Forêt-Noire, restent de nos jours un exemple rare d'architecture prussienne. Leurs équivalents allemands ont en effet souffert des bombardements de la Seconde Guerre mondiale.
Les deux grands conflits du 20e s. ballotteront Strasbourg entre les deux nationalités : à nouveau française en 1918, la cité, comme toutes les autres villes d'Alsace et de Moselle, connaît une nouvelle parenthèse allemande entre 1940 et 1944. La ville sera libérée par le général Leclerc le 23 novembre 1944.

Église réformée St-Paul E5

Place du Gal-Eisenhower.

Figure de proue au confluent de l'Ill et de l'Aar, cette église de garnison érigée entre 1892 et 1897 arbore fièrement ses deux tours jumelles de style néogothique (76 m). En entrant, on est aussitôt frappé par la belle galerie de grès en arc de cercle qui décore le fond du chœur. À l'extérieur, depuis l'avenue de la Liberté, belle perspective, sur la droite, sur le palais du Rhin, que l'on aperçoit au-delà de la place de la République.

Bains municipaux E5

10 bd de la Victoire - ℰ 03 88 25 17 58 - ouverts au public.

Construits entre 1904 et 1911, les bains municipaux ont conservé leur belle architecture d'origine. Monumentalité du décor et rappel de l'antique accompagnent le visiteur, depuis la rotonde d'entrée et les bains romains jusqu'aux deux piscines couvertes.

Université G5-6

Prestigieuse vitrine de la culture allemande à l'époque du Reichsland, le **palais universitaire** fut inauguré en 1884. Le rayonnement de l'université de Strasbourg attire alors d'éminents professeurs dans les facultés de philosophie, de sciences ou de médecine. L'université Louis-Pasteur regroupe aujourd'hui plusieurs musées, dont un riche Musée zoologique (👓 p. 78), un musée de Minéralogie et un musée de Sismologie et de Magnétisme terrestre.

C'est au sein du palais universitaire que s'est tenue la première séance du Conseil de l'Europe, en 1949.

Planétarium G5-6

ℰ 03 90 24 24 50 - www.planetarium-strasbourg.fr - réservation recommandée - juil.-août 10h-12h15, 14h-18h, dim. 14h-18h ; vac. scol. (zone B) : 10h-12h15, 14h-18h, dim. 14h-18h ; reste de l'année : 9h-12h, 14h-17h, merc. 14h-17h, dim. 14h-18h - fermé sam. et j. fériés - 7,50 € (-16 ans 4,20 €), Journées du patrimoine gratuit.

Pour découvrir l'astronomie, le planétarium de Strasbourg, attenant à l'université, propose différentes projections pour enfants ou pour adultes, ainsi qu'une visite guidée de la coupole de l'observatoire. L'exposition interactive de la « crypte aux étoiles » termine la visite.

Jardin botanique F5

ℰ 03 90 24 18 65/18 86 - mai-août 10h-19h, mars-avril et sept.-oct. 10h-18h, nov.-déc. 14h-16h - fermé 20 déc.-28 fév., 1er Mai, 1er et 11 Nov. et en cas de neige - visite guidée tous les dim. apr.-midi (horaires variables en fonction de la saison) - les grandes serres sont fermées de 12h à 14h et le w-end. Ce jardin, qui rassemble plus de 6 000 plantes, est une des richesses dont fut dotée l'université impériale en 1884. La serre de Bary (fermée au public), du nom du professeur qui constitua la collection, est d'époque. Elle abrite de remarquables nénuphars géants. Juste à côté, une parcelle présente différentes plantes utiles à l'homme. Parmi les 2 000 espèces

R Mattes / hemis.fr

Place de la République, au printemps

de l'arboretum, trouverez-vous le séquoia géant, les 5 cyprès chauves ou le faux noyer du Caucase, le plus gros du jardin (5,40 m de circonférence) ?

Musée zoologique de l'université et de la ville F5

29 bd de la Victoire - ℰ 03 90 24 04 85 - www.musees-strasbourg.org - ఈ - tlj sf mar. 12h-18h, w.-end 10h-18h - fermé 1er janv., Vend. saint, 1er Mai, 1er et 11 Nov., 25 déc. - 5 € (-18 ans gratuit), 1er dim. du mois gratuit. Installé sur deux étages, ce musée un brin académique présente une très riche collection d'animaux naturalisés des quatre coins du globe : lion de la savane, pingouins des régions arctiques, petits rongeurs de nos campagnes. Quelques vitrines attirent l'attention sur les espèces protégées et sur celles qui ont déjà disparu d'Alsace (ours, lynx, cigogne noire) ou du monde (grand pingouin). Les animaux sous-marins sont également représentés, monstrueux ou fascinants. Au 2e étage, impressionnante collection d'oiseaux, reconstitution du cabinet de sciences naturelles de Jean Hermann, fondateur du musée. Collection d'insectes.

Musée Tomi-Ungerer - Centre international de l'illustration★ D5

Villa Greiner - 2 av. de la Marseillaise - ℰ 03 69 06 37 27 - www.musee-strasbourg.org - tlj sf mar. 12h-18h, w.-end 10h-18h - 5 € (-18 ans gratuit).

Le dessinateur Tomi Ungerer est très connu à l'étranger, un peu moins en France, bien que la transposition en dessin animé (2007) de son livre *Les Trois Brigands* l'ait fait connaître auprès du grand public. Âgé de 79 ans et résidant aujourd'hui en Irlande, il a fait don d'une partie de son œuvre à sa ville natale : une collection de 11 000 dessins, 160 sculptures et 6 000 jouets (ces derniers sont en majorité conservés au musée des Arts décoratifs) ! Ce musée – l'un des rares en France a être consacré à un artiste de son vivant – est installé dans une belle maison aux intérieurs épurés et présente les différentes facettes du personnage : dessinateur à l'humour noir, auteur d'affiches publicitaires, illustrateur de livres pour enfants ou créateur débridé d'œuvres érotiques, rien ne semble l'effrayer ! L'exposition de dessins, d'estampes et d'affiches publicitaires est renouvelée environ tous les quatre mois, tandis qu'un large fonds documentaire (jouets, archives, photographies, articles de presse) est mis à la disposition du public.

Poste centrale E5

5 av. de la Marseillaise.
Cet imposant édifice, de style gothique-médiéval, a été construit entre 1896 et 1899. Une partie a été réaménagée en grès rose, après les destructions de la Seconde Guerre mondiale.

Le quartier européen

Prolongeant au nord-est le quartier allemand, le secteur européen est la traduction urbanistique de la volonté politique née après la Seconde Guerre mondiale de faire de Strasbourg, cité frontière au bord du Rhin, la ville symbole de la réconciliation. Ainsi allait naître l'Union Européenne… Lancé en 1949 avec la création du Conseil de l'Europe, le quartier abrite aujourd'hui une dizaine d'organismes et d'institutions, dont le Parlement européen.

➜**Accès :** tram ligne E, station Parlement-européen, Droits-de-l'Homme ou Robertsau-Boecklin

➜**Conseils :** Si vous visitez le quartier à pied, descendez au terminus du tram, ligne E (station Robertsau-Boecklin), pour ne rater aucun des bâtiments européens. Il est aussi très facile de découvrir ce quartier vaste et aéré à vélo, grâce aux nombreuses voies cyclables (comptez 10mn depuis le centre-ville). Enfin, une pause sera sans doute bienvenue dans le parc de l'Orangerie, face au Conseil de l'Europe (♿ *p. 90*).

Institut international des droits de l'homme H1

Allée René-Cassin.
L'institut occupe une maison ancienne, vestige d'un ancien couvent du 17e s., démontée et remontée ici à l'identique. Créé en 1959 par le Prix Nobel et premier président de la Cour européenne des droits de l'Homme, René Cassin, l'institut organise chaque année des sessions de formation pour les juristes du monde entier, sur le thème de la protection des droits fondamentaux.

Pharmacopée européenne H1-2

Allée Kastner.
Installé dans un bâtiment construit en 2007, cet organisme dépendant du Conseil de l'Europe intervient dans la normalisation de la qualité des médicaments et leur certification.

Bâtiment des besoins généraux H2

Allée des Droits-de-l'Homme.
Situé face au Palais des droits de l'homme et au bord du canal de la Marne au Rhin, ce bâtiment du Conseil de l'Europe, dernier-né des édifices européens à Strasbourg (2007), regroupe l'ensemble du personnel administratif de l'institution.

Palais des droits de l'homme G-H1

Quai Ernest-Bevin - ☏ 03 88 41 20 29 - visite sur réservation, uniquement pour les groupes (conférences spécialisées à destination d'un public sensibilisé aux questions des droits de l'homme).
Au bord de l'Ill, conçu en 1995 dans un style futuriste (verre et métal) par l'architecte Richard Rogers, le nouveau Palais des droits de l'homme abrite la

B. Rieger / hemis.fr

Une vue aérienne du quartier européen

Cour européenne des droits de l'homme, relevant du Conseil de l'Europe. Son rôle est de faire respecter les droits fondamentaux incrits dans la Convention européenne des droits de l'homme, adoptée en 1950 et qui définit les droits et les libertés que les États membres s'engagent à garantir à leurs citoyens. Imposants, les bâtiments organisés autour de la tour de l'hémicycle, épousent la courbe de l'Ill. La Cour européenne des droits de l'homme y siège de façon permanente.
À droite de l'entrée, dans le jardin, figurent quatre morceaux du mur de Berlin.

Centre européen de la jeunesse G1

30 r. Pierre-de-Coubertin.
Le bâtiment de cette institution, créée en 1972, abrite un lieu de rencontre, de travail et de formation pour les jeunes et les organisations de jeunesse en Europe.

Parlement européen★ G1

Allée du Printemps - ☏ 03 88 17 20 07 - visite sur réservation uniquement pour les groupes : visite guidée 1h30 ; pas de visite pour les individuels, mais possibilité d'assister aux sessions du Parlement en s'adressant au service des visites (Parlement européen - BP 1024F - 67070 Strasbourg Cedex).
Le Parlement, construit en 1998, est l'organe législatif de l'Union européenne. Il réunit les 736 députés des 27 États membres, élus au suffrage direct universel (tous les cinq ans), lors de sessions parlementaires, quatre jours par mois, sauf en août et septembre.
Son rôle est de participer à l'élaboration de la législation communautaire en se prononçant sur les propositions qui lui sont soumises par la Commission européenne. Doté également de pouvoirs budgétaires, il assure un contrôle politique sur les institutions de l'Union qui rendent compte de leur action à l'assemblée.
Le bâtiment en forme d'aile, dont la façade de verre et d'acier suit les bords de l'Ill, laisse entrevoir la coupole en lames de cèdre de l'hémicycle (d'une capacité de 750 places).
À côté, une tour haute de 60 m comprend 17 niveaux et 1 133 bureaux. Une passerelle relie le Parlement au bâtiment Churchill et ses services administratifs, de l'autre côté de l'Ill.

Parc des expositions F1

Pl. de la Foire-Exposition.
Face au Parlement européen, 24 000 m^2 sont dévolus à l'accueil de grandes manifestations, telles que la Foire européenne, début septembre (1 100 exposants, 220 000 visiteurs), ou encore le salon « Maisons de printemps ».

Maison de la Région F1

1 pl. Adrien-Zeller.
Inaugurée en 2005, elle abrite le conseil régional d'Alsace, le Conseil économique et social d'Alsace et l'administration régionale.
Ses bureaux sont répartis sur 19 000 m^2 de surface en trois niveaux.

Palais de la musique et des congrès F1

Av. Schutzenberger.
Il est constitué d'un ensemble de 50 000 m² enserré dans une architecture de verre et composé notamment de deux auditoriums qui reçoivent manifestations professionnelles, concerts et spectacles.

Arte F2

Quai du Chan.-Winterer.
Le bâtiment, construit en 2003, abrite le siège de la chaine Arte. Créée en 1991, cette chaîne européenne réalise et diffuse des programmes à caractère international qui visent à favoriser le rapprochement des peuples en Europe.

Bâtiment Salvador-de-Madariaga F-G2

Av. du Prés.-Robert-Schuman.
Abritant des services administratifs du Parlement européen, ce bâtiment, bordé par un quartier résidentiel, accueille aussi le bureau du médiateur européen, un poste créé en 1995. Élu par le Parlement pour cinq ans, le médiateur intervient notamment en cas de mauvaise administration d'une institution européenne. Tout citoyen de l'Union européenne peut introduire un recours auprès de lui.

Bâtiment Winston Churchill G2

Av. du Prés.-Robert-Schuman.
Relié par une passerelle au Parlement européen, il abrite des salles de réunion et des services communs pour les parlementaires (restaurants, bibliothèques, garderie…).

Observatoire européen de l'audiovisuel G3

Allée de la Robertsau.
Dans un bâtiment Jugendstil de 1899 siège cet organisme de service public chargé de collecter et de diffuser de l'information audiovisuelle en Europe pour les hommes politiques et les professionnels de l'audiovisuel. 35 États européens en sont membres.

Palais de l'Europe ★ G2

Entrée allée Spach. av. de l'Europe - ℰ 03 88 41 20 29 - www.coe.int - ♿ - sur réservation uniquement (Conseil de l'Europe - service des visites - 67075 Strasbourg Cedex) - fermé w.-end et j. fériés - gratuit.
Siège du Conseil de l'Europe, qui est la plus ancienne institution politique du continent européen (1949), le Palais de l'Europe abrite le Comité des ministres, l'Assemblée parlementaire et le Secrétariat général. Les bâtiments en plan incliné, en forme de pyramide, sont l'œuvre de l'architecte français Henry Bernard. Ils ont remplacé ceux de l'ancienne Maison de l'Europe, détruite en 1977. À l'intérieur, le palais, qui comprend notamment 1 350 bureaux, possède l'hémicycle le plus vaste d'Europe. Dès 1942, Winston Churchill, avait envisagé la création d'un Conseil de l'Europe. Aujourd'hui, ce dernier a pour objectifs principaux la défense des droits de l'homme, le renforcement de la stabilité

politique en Europe et la recherche de solutions communes aux problèmes tels que la corruption, le clonage humain, le terrorisme, l'éducation…
Il réunit actuellement 47 États européens, qui représentent environ 800 millions de personnes et cinq pays observateurs (Canada, États-Unis, Japon, Mexique et Vatican).
À l'extérieur, une rangée de mâts arbore les couleurs des 47 États membres, avec pour chacun leur date d'adhésion à l'Union européenne.

Eurimages G2

Av. de l'Europe.
Abrité dans l'ancien Palais des droits de l'homme, Eurimages est un fonds du Conseil de l'Europe qui a été créé en 1988 pour l'aide à la coproduction, à la distribution et à l'exploitation d'œuvres cinématographiques européennes.
Il réunit 30 États membres.

La construction européenne

Le 9 mai 1950, Robert Schumann, ministre français des Affaires étrangères, propose la mise en commun des ressources de charbone et d'acier de la France et de la République fédérale d'Allemagne dans une organisation ouverte aux autres pays. En 1951, la France, la RFA, l'Italie, la Belgique, les Pays-Bas et le Luxembourg signent le traité instituant la Communauté européenne du charbon et de l'acier (CECA). Six ans plus tard, en 1957, les Six décident d'étendre l'intégration européenne à toute l'économie et instituent, par le traité de Rome, la Communauté économique européenne.

Les six pays fondateurs sont rejoints par le Danemark, l'Irlande et le Royaume-Uni en 1973, par la Grèce en 1981, par l'Espagne et le Portugal en 1986, par l'Autriche, la Finlande et la Suède, en 1995, par la République tchèque, l'Estonie, Chypre, la Lettonie, la Lituanie, la Hongrie, Malte, la Pologne, la Slovénie et la Slovaquie, en 2004 et enfin la Bulgarie et la Roumanie, en 2007.

Walter Zerla/Tips/Photononstop

L'intérieur du Conseil européen

Les deux rives du Rhin

Ville frontière et ville de passage, Strasbourg a toujours bénéficié de l'apport du Rhin, artère large et placide longeant les faubourgs à l'est de la cité. Si le port autonome est l'un des plus importants du fleuve, source d'une intense activité économique, de judicieux aménagements ont aussi transformé les rives en agréables parcours de balades, jusqu'à la ville allemande de Kehl.

➜**Accès :** Bus ligne 2, direction Pont-du-Rhin, arrêt Jardin-des-Deux-Rives. À vélo, deux possibilités :
- longer l'Ill par le quai du Général Koenig et le quai des Alpes (face à la médiathèque Malraux et au centre commercial Rivétoile) jusqu'au pont d'Anvers. Puis, franchir ce pont et poursuivre par la rue du Port-du-Rhin et la rue Coulaux jusqu'au jardin des Deux Rives, après être passé sous la voie ferrée.
- à hauteur de la médiathèque Malraux, traverser le pont d'Austerlitz (plan I **D8**) et suivre à gauche la route du Rhin (D 1004) jusqu'au pont Vauban. Une fois franchi celui-ci, l'avenue de l'Europe conduit au pont de l'Europe, sur le Rhin, et au jardin des Deux Rives.
Le premier itinéraire est moins fréquenté et donc beaucoup plus tranquille.

➜**Conseil :** Pour profiter pleinement des parcs situés de part et d'autre du Rhin ainsi que de la passerelle des Deux-Rives, sur le fleuve, optez pour le vélo. Prévoyez dans ce cas une bonne demi-journée, surtout si vous décidez de visiter aussi la ville riveraine de Kehl, côté allemand.

Presqu'île Malraux E8

À proximité immédiate du pont d'Austerlitz, sur l'itinéraire du centre-ville au Rhin.
Située au bord du bassin d'Austerlitz, dans le quartier de Neudorf, au sud-est de la Krutenau, cette presqu'île a fait l'objet d'un réaménagement urbain et abrite la médiathèque Malraux. Mobilier *outdoor* design (chaises longues face à l'Ill), passerelles Miro et Braque la reliant aux rives et larges terrasses en font un lieu apprécié pour la balade, juste à côté du grand centre commercial Rivétoile.

Le Vaisseau★ G8

1 bis r. Philippe-Dollinger - ✆ 03 88 44 44 00 - www.levaisseau.com - ♿ - tlj sf lun. 10h-18h (dernière entrée 17h) - fermé 1ᵉʳ janv., 1ᵉʳ Mai, 3 premières sem. de sept. et 25 déc. - 8 € (-3-18 ans 7 €) ; billet combiné avec Batorama (découverte en bateau de Strasbourg) 9,50 €. 1/2 journée de visite. Parcours dans le noir et studio de télévision ne sont accessibles que les merc., sam., dim. et pendant les vac. scol. ; il est nécessaire de s'y inscrire à l'avance. Entièrement accessible aux personnes handicapées. Journal de bord téléchargeable sur Internet.

Située à hauteur du pont du Danube, en direction du pont de l'Europe par la route du Rhin, l'exposition du Vaisseau s'adresse aux enfants de 3 à 15 ans. Elle s'articule autour de quatre thèmes : « Le monde et moi », « Découvrir les animaux », « Je fabrique » et « Les secrets de l'image ». Selon leur âge, les enfants ont ainsi la possibilité de jouer au bébé kangourou, de parcourir une pièce dans le noir le plus complet, d'observer une fourmilière, de travailler sur un mini-chantier ou même de participer à la réalisation d'un journal télévisé. Dans le jardin, différents parcours (scientifique, sensoriel, nature) enseignent les rudiments de la météo, de l'optique ou du jardinage…

Port autonome sud Plan II, F3

Situé à l'un des principaux points de jonction des voies de communication qui unissent les diverses parties de l'Europe, le port autonome de Strasbourg se classe parmi les premiers ports rhénans. Il constitue pour la région de l'Est l'équivalent d'un grand port maritime grâce aux qualités de navigabilité exceptionnelles du Rhin (aujourd'hui canalisé entre Bâle et Iffezheim), comparable à un bras de mer international de 800 km de longueur.

L'itinéraire qui débute rue du Havre, rue parallèle au bassin René-Graff, juste avant le pont Vauban (plan II F2), offre les points de vue les plus intéressants sur les installations portuaires et le Rhin. Dans le prolongement de la rue du Havre, la rue de La Rochelle conduit à la **zone sud**, partie la plus moderne du port, avec les trois bassins Auguste-Detœuf (centre céréalier), Gaston-Haelling, Adrien-Weirich (conteneurs et colis lourds) et la darse IV. Entre ces deux derniers bassins est implanté le centre Eurofret-Strasbourg *(accès par les rues de Rheinfeld et de Bayonne)*.

Le Rhin et le pont de l'Europe (Europa Brücke)
Plan II, F2

Le fleuve, large à cet endroit de 250 m, est enjambé par le **pont de l'Europe** (1960), constitué de deux arcs métalliques, qui relie Strasbourg à Kehl en Allemagne. Le pont se situe au point kilométrique 293, mesuré depuis l'affluent du Rhin au lac de Constance. Depuis cet endroit, il reste encore au fleuve 741 km à parcourir avant de se jeter dans la mer du Nord. Très fréquenté à longueur de journée par les automobilistes, le pont de l'Europe remplace le fameux pont métallique dit « de Kehl » (1861) détruit pendant la Seconde Guerre mondiale.

Jardin des Deux Rives et passerelle Plan II F2

Ouv. tlj 6h-21h en hiver ; 6h-24h en été. Toilettes publiques. Tables pique-nique. Buvette et petite restauration côté français. Animations l'été.
Aménagé en 2004 de part et d'autre du Rhin, ce jardin transfrontalier doit son unité à l'élégante passerelle à haubans, conçue par l'architecte Marc Mimram, qui permet aux piétons et aux cyclistes de traverser le fleuve. Côté français, les vastes pelouses, parsemées de massifs de fleurs, de jardins thématiques et d'aires de jeux pour les enfants, sont entourées d'un imposant mur d'eau. Côté allemand, pelouses, œuvres d'art et jeux d'eau jouxtent une tour panoramique et un petit lac où il est possible de louer un pédalo.

Kehl Plan II F2

La commune riveraine de Strasbourg, côté allemand, séduira surtout les amateurs de shopping. Toute l'animation de la petite cité se concentre en effet autour de l'église et dans la Haupstrasse, la rue commerçante et piétonne du centre-ville. De nombreux produits étant réputés moins chers en Allemagne (produits d'entretien, cosmétiques, tabac…), beaucoup de Strasbourgeois viennent y faire leurs achats.
Un arrêt à Kehl est aussi l'occasion de goûter aux excellentes glaces « italiennes » et aux célèbres bières allemandes.

Port autonome nord
Plan II, F2

Partie la plus ancienne du port autonome, son activité se concentre autour des bassins des Remparts, de l'Industrie et du Commerce et sur le bassin Albert-Auberger, tous situés au nord de la rue du Port-du-Rhin. Le long de cette rue, vous remarquerez le bâtiment à clocher de la « Grande Poste » et les bâtiments de la société de Malteries d'Alsace.
Du **pont d'Anvers (F2)**, on voit sur la gauche l'entrée du grand Vauban et le bassin Dusuzeau (gare fluviale) ; sur la droite, le bassin des Remparts.
Plus au nord, du **pont Jean-Millot (F2)**, à l'entrée du bassin Albert-Auberger, la vue embrasse le Rhin à gauche et l'entrée nord du port. Dans l'avant-port nord débouchent le canal de la Marne au Rhin, les bassins Louis-Armand, du Commerce et de l'Industrie.

B. Rieger / hemis.fr

Passerelle Mimram sur le Rhin et le jardin des deux Rives du côté français

Du côté des parcs

Situés au nord-est et à l'est de la cité ancienne, quatre parcs assurent l'essentiel des besoins de verdure intra muros à Strasbourg : les parcs des Contades, de l'Orangerie, de la Citadelle et de Pourtalès. Les rives de l'Ill se prêtent aussi aux promenades vivifiantes. Au-delà, les amateurs de nature trouveront leur bonheur dans les allées de la forêt de la Robertsau, au nord, accessibles à vélo.

➔**Accès :** - parc des Contades : tram ligne B ou E, station Parc-des-Contades ;

- parc de l'Orangerie : tram ligne E, station Droits-de-l'homme ;

- parc de la Citadelle : tram ligne C ou E, station Esplanade ou bus ligne 30, arrêt Ankara ;

- parc de Pourtalès et forêt de la Robertsau : au nord du quartier de la Robertsau, accessibles à vélo.

Parc des Contades E3

Ce parc, situé au nord de la place de la République, dans le quartier allemand, porte le nom du maréchal gouverneur de l'Alsace qui le fit réaliser. De taille modeste, avec pelouses et grands arbres, il accueille une aire de jeux pour enfants, un terrain de basket et un terrain de hand-ball et des tables de ping-pong.

Au nord du parc, la passerelle des Arquebusiers franchit l'Aar, affluent de l'Ill. Par le quai Zorn, on peut alors longer la rivière jusqu'à l'église Saint-Paul : un parcours agréable, dans un quartier résidentiel.

En bordure du parc s'élève la **synagogue de la Paix,** construite en 1955 pour remplacer celle du quai Kléber, détruite en 1940 par les nazis.

Parc de l'Orangerie★ G2-3/H3-4

En face du palais de l'Europe, le parc de l'**Orangerie** est le plus vaste de la ville. Dessiné par Le Nôtre en 1692, il a été aménagé en 1804 en vue du séjour de l'impératrice Joséphine. Le pavillon Joséphine (1805), incendié en 1968 et reconstruit, sert aux expositions temporaires, aux représentations théâtrales et aux concerts.

Ses cheminées abritent des nids de cigognes.

Dans le parc, un mini-zoo fait cohabiter ces fameuses cigognes locales avec quelques animaux plus exotiques (singes, aras, perruches, grand tétras, flamants du Chili). Les enfants apprécieront également le lac, la petite cascade et les aires de jeux.

Parc de la Citadelle G7-8/H7-8

Au sud-est du quartier allemand, jouxtant le bassin Dusuzeau, ce parc de 12 ha entoure les vestiges des fortifications Vauban que Louis XIV ordonna de construire en 1681, aussitôt après la capitulation de Strasbourg et son rattachement à la France. Il est possible de grimper sur les fortifications et de faire le tour du parc par une sorte de chemin de ronde.

Il comprend des ateliers d'exercices sportifs, plusieurs aires de jeux pour enfants, deux terrains de basket, un terrain de hand ball et deux tables de ping-pong.

Parc de Pourtalès Plan II F1

Au nord-est de la ville, bordant le quartier de la Robertsau au nord, ce parc est aménagé autour du château de Pourtalès. Cette belle bâtisse transformée en hôtel est restée célèbre pour avoir été au 19e s. le lieu de rendez-vous de tout le gotha européen, sous la houlette de la comtesse et maîtresse des lieux, Mélanie de Pourtalès. Grands arbres, pigeonnier, allées forestières et sculptures de land art en font un lieu agréable pour la détente. Restaurant à l'entrée, dans une maison forestière (♥ p. 27).

Bords de l'Ill E5-6/D4-5

Une idée toute simple pour ceux qui veulent souffler un peu après avoir arpenté les rues de la cité ancienne : s'oxygéner en marchant au bord de l'Ill.

La plupart des berges sont accessibles soit par des chemins aménagés, soit par des sentes tracées dans l'herbe. Dans le quartier de la Petite France, on pourra aisément se balader le long des bassins. Un des itinéraires les plus agréables consiste à emprunter le quai au Sable (**D6**), après le palais Rohan, et de poursuivre sur le chemin aménagé le long de la berge, quai Saint-Étienne.

Forêt de la Robertsau Plan II F1

Pour l'accès de la forêt à vélo, se procurer le « Plan des itinéraires et aménagements cyclables de la communauté urbaine de Strasbourg », disponible à l'office de tourisme.

Au nord du port autonome, délimitée par le Rhin à l'est, l'Ill à l'ouest et le canal de la Marne au Rhin au sud, la Robertsau, ancien quartier de maraîchers est devenu au fil du temps l'un des secteurs résidentiels les plus cotés de Strasbourg. L'explication tient sans doute au caractère verdoyant et au calme de ce quartier pourtant proche du centre-ville. Il mélange atmosphère villageoise et résidentielle, comme on pourra le voir en parcourant la rue de la Carpe-Haute et le chemin du Beulenwoerth.

Prolongeant au nord le parc de Pourtalès, la forêt périurbaine de la Robertsau s'étend sur près de 500 ha et ouvre ses allées plates et tranquilles aux promeneurs et aux randonneurs à vélo.

La vallée du Rhin, vers le nord

Le fleuve est évidemment le fil conducteur de cet itinéraire qui conduit au village de Lauterbourg et à la pointe extrême-nord de l'Alsace. En chemin, aménagements hydrauliques et villages de plaine apportent un éclairage sur l'histoire économique du Rhin et de toute la région.

➜**Accès :** - en voiture : depuis Strasbourg Nord, emprunter la D 468 en direction d'Offendorf.

- à vélo (compter la journée pour faire l'aller-retour) : suivre l'itinéraire de la Véloroute du Rhin et son tracé nord le long du fleuve jusqu'à Lauterbourg, via les villages de Sessenheim, Benheim et Seltz. Vous pouvez vous procurer à l'office du tourisme de Strasbourg le plan « Tout le Bas-Rhin à vélo », une carte des itinéraires cyclables dans le département (édition juin 2010).

Écluse de Gambsheim

☏ 03 88 96 44 08 (office du tourisme) - mi-mars-oct., tlj sf mar., 10h-13h, 14h-18h ; nov.-fév., dim. 14h-17h - 2 € (enf. 1 €). Accès : traverser Gambsheim et suivre les indications « Centrale électrique », puis traverser le Rhin. Tourner à gauche juste avant d'entrer en Allemagne.

Avec l'écluse d'Iffezheim, à 30 km en aval, sur le territoire allemand, l'écluse de Gambsheim est la plus grande d'Europe. Elle doit sa particularité à son aménagement en ligne, le premier sur le Rhin (1974) : l'écluse, la centrale, la digue de fermeture et le barrage sont de front. En 2006, une **passe à poissons** a été mise en place à Gambsheim pour permettre leur migration. (La passe attire le poisson en aval du barrage pour l'inciter à passer par un chemin qui le contourne. Depuis 2007, la passe est ouverte au public et permet de regarder le passage des poissons migrateurs à travers une vitre. Les mois de reproduction (avril et juillet-août) sont particulièrement propices à leur observation.

Offendorf

Alors qu'elle est attestée depuis le 16e s., c'est surtout aux 19e et 20e s. que la batellerie connut un essor significatif à Offendorf, occupant jusqu'à un tiers de la population de ce petit village (1960), avant d'être progressivement évincée par le fret routier et ferroviaire.

Le **musée de la Batellerie**, installé dans la cale d'une péniche « à la retraite », évoque cette activité. *☏ 03 88 96 74 92 - possibilité de visite guidée - mai-sept. : w.-end et j. fériés 14h-19h - 3,50 € (enf. 2 €).* Le musée présente les évolutions des techniques de navigation, la nature des chargements,

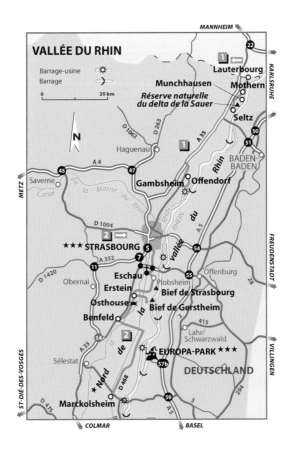

COOPÉRATION TRANSFRONTALIÈRE
Le Nord Alsace s'est associé au Palatinat du Sud et à la région Mittlerer Oberrhein en Allemagne pour former le Parc rhénan Pamina, qui cherche à mettre en valeur la plaine du Rhin. Neuf musées et deux centres de découverte de la nature y sont affiliés.

le fonctionnement des écluses, mais évoque aussi les difficultés humaines liées à une mobilité permanente. Visite de la cabine et de la timonerie.

Seltz

Selz se cartactérise d'abord par son église. En y entrant, vous serez saisi par le contraste entre l'ensemble moderne du clocher et de la nef et le **chœur baroque** du 15e s. Au sous-sol de la **Maison Krumacker**, qui accueille office de tourisme et médiathèque, un petit musée agréablement aménagé présente l'histoire du pays de Seltz en deux volets. Quelques vestiges témoignent de la présence celte puis gallo-romaine dans la région. La période médiévale est évoquée à travers la figure de sainte Adélaïde, épouse de l'empereur Othon Ier, qui fonda à la fin du 10e s. à Seltz une abbaye, aujourd'hui détruite.
Maison Krumacker – 2 av. du Gén.-Schneider - ✆ 03 88 05 59 79 - www.tourisme-seltz.fr - &. - possibilité de visite guidée sur demande - 8h-12h, 13h30-17h30 (vend. 16h30), lun. 13h30-17h30 - fermé w.-end (sf 1er dim. du mois), j. fériés, 24 déc.-1er janv. - 1 € (enf. gratuit), Journées du patrimoine gratuit.

Munchhausen

Une petite visite au **centre d'initiation à la nature** constituera un bon préambule à la découverte de la **réserve naturelle du delta de la Sauer**, entre Munchhausen et Seltz. Outre les panneaux présentant la faune de la réserve, l'aménagement du fleuve et la constitution d'une plaine alluviale, le centre propose un programme de sorties, des stages et conférences pour mieux connaître la nature.
Centre d'initiation à la nature – 42 r. du Rhin - ✆ 03 88 86 51 67 - www.nature-munchhausen.com - &. - possibilité de visite guidée (3h) sur demande (2 sem. av.) - tlj sf w.-end et j. fériés - 9h-12h30, 14h-18h - fermé de mi-déc. au 4 janv. - 9,50 € (-12 ans gratuit).

Mothern

La **Maison de la Wacht** héberge l'office de tourisme et l'exposition permanente « Il était une fois le Rhin ». Divinité, animal, père nourricier, rival des hommes, le fleuve fascine depuis des siècles. Un espace consacré à l'ethnologie permet d'appréhender l'imaginaire des riverains du Rhin. Les enfants apprécieront les plus célèbres légendes du Rhin illustrées.

94

Maison de la Wacht – ℘ 03 88 94 86 67 - www.mothern-tourisme.fr - possibilité de visite guidée sur demande (2 sem. av.) - avr.-oct. : tlj sf dim. et j.fériés 14h-18h (sam. 17h) ; exposition permanente « Il était une fois le Rhin » : 1er dim. du mois 14h-17h - fermé janv. et j. fériés - 1 € (-14 ans gratuit).

Lauterbourg

Située sur le passage des armées, la ville a été détruite à plusieurs reprises au 13e s., au 17e s. et en 1940. Elle a cependant conservé le chœur de son église catholique, daté de 1467, son ancien palais épiscopal de 1592, restauré en 1716, son hôtel de ville (1731) et quelques traces de ses fortifications Vauban du 18e s. (porte de Landau).

LE RHIN, HISTOIRE D'UN FLEUVE

Histoire d'un nom – Pour désigner un fleuve, les Latins disaient Renes, les Germains préféraient Rhein, les deux étant issus du grec rheein, « couler ». C'est devenu le Rhin. Avec 1 298 km, dont 190 le long de la frontière franco-allemande, c'est le 7e plus long fleuve d'Europe. Encore alpestre en Alsace, il est gonflé de la fonte des neiges, et ses hautes eaux de mai-juin contrastent avec les basses eaux de septembre, parfois gelées en hiver par le rude climat alsacien.

Histoire de villages engloutis – Les crues du Rhin étaient autrefois redoutables et aucune ville, sauf Huningue, dans la banlieue de Bâle, ne s'est établie immédiatement sur ses bords. En cas de montée des eaux, les riverains prenaient la garde jour et nuit auprès des digues. Malgré cela, les catastrophes étaient fréquentes. À Strasbourg même, l'un des bras du fleuve pénétrait dans les murs de la ville. L'actuelle rue d'Or marque d'ailleurs l'emplacement d'une ancienne crue.

Histoire d'un aménagement – Pour ramener la circulation sur le Rhin alsacien après une période de décadence due aux difficultés de navigation en basses eaux, la France conçoit en 1920 un projet de dérivation d'une part importante du débit du fleuve entre Bâle et Strasbourg. Le creusement du canal d'Alsace, commencé en 1928 et achevé au début des années 1960, permet d'exploiter les importantes réserves d'énergie électrique du fleuve.

Histoire de légendes – Le Rhin inspira les légendes des sirènes – la plus célèbre étant la Lorelei – qui attiraient les marins par leurs chants mélodieux, puis les entraînaient par le fond. Le nain Alberich, personnage de **L'Or du Rhin** (premier épisode de la tétralogie de Richard Wagner), a réussi à dérober aux ondines qui en avaient la garde l'or du Rhin, pour s'en forger un anneau tout-puissant.

La vallée du Rhin, vers le sud

Le long du Rhin en direction de Colmar, dans cette portion de vallée nommée le Grand Ried, les biefs aménagés sur le fleuve constituent d'intéressants points de visites naturalistes. À côté, quelques villages illustrent par leur patrimoine des traditions et une histoire typiquement alsaciennes (betteraves à sucre, ligne Maginot…).

➔**Accès :** - en voiture : depuis Strasbourg Sud, emprunter la D 468 jusqu'à Eschau, via Illkirch.

- à vélo (compter la journée pour faire l'aller-retour) : suivre l'itinéraire de la Véloroute du Rhin et son tracé sud le long du fleuve. Vous pouvez vous procurer à l'office du tourisme de Strasbourg le plan « Tout le Bas-Rhin à vélo », carte des itinéraires cyclables dans le département (édition juin 2010).

➔**Conseil :** Le circuit est reporté sur la carte p. 93.

Eschau

Avec son architecture ottonienne, l'**abbatiale Saint-Trophime**, du 10e s., est caractéristique du premier art roman en Alsace. Face à cette église sans clocher, jardin monastique de plantes médicinales. Eschau abrite la dernière école de facteurs d'orgues de France.

Bief de Strasbourg

Un bassin de compensation forme un plan d'eau de 650 ha. Un centre nautique est aménagé à Plobsheim.

Erstein

Capitale alsacienne du sucre, Erstein doit la vitalité de son économie à la betterave depuis plus d'un siècle. À deux pas, se trouve la réserve naturelle de la forêt d'Erstein.

L'**Etappenstall** est à la fois office de tourisme, espace d'expositions artisitiques et Maison du patrimoine, destinée à faire découvrir l'histoire du pays d'Erstein de façon vivante, suivant des thématiques différentes chaque année.

Etappenstall – ℰ 03 90 29 93 55 - ⅙ - tlj sf mar. 14h-18h - fermé 25-31 déc. et j. fériés - gratuit.

Depuis 2008, le **musée Würth**, installé dans un bâtiment aux murs de béton brut, abrite l'une des plus importantes collections d'entreprise d'art moderne et contemporain. Elle a été lancée dans les années 1960 par l'industriel Reinhold Würth, qui n'a cessé, depuis, de l'enrichir. Quelque 12 000 pièces (dessins, peintures, sculptures…) illustrent les grands mouvements artistiques du 20e s. et du début du 21e s. Deux expositions,

Château de Pourtalès, parc de sculptures, Les Arborigènes d'Ernest Pignon-Ernest (1988)

EN BATEAU SUR LE RHIN

S'il est simple de découvrir l'Ill et les canaux strasbourgeois en bateau (avec le prestataire Batorama, (☙ p. 6), il n'en va pas de même pour le Rhin, où il n'existe plus à ce jour de croisières à la journée au départ de Strasbourg. L'entreprise Croisieurope, un des leaders de la croisière fluviale sur le Vieux Continent, dont le siège est à Strasbourg, propose toutefois un itinéraire intéressant de 3 jours/ 2 nuits, pour ceux qui ont du temps. Renseignements : www.croisieurope.com Au programme : embarquement le premier jour dans la soirée à la gare fluviale, rue du Havre ; navigation le lendemain vers le nord et l'Allemagne jusqu'au village de Rudesheim (cet itinéraire correspond à notre circuit « La vallée du Rhin, vers le nord » et les villes de Manheim et Mayence) ; le troisième jour, poursuite du parcours jusqu'à Coblenci sur le Rhin romantique et le célèbre rocher de la Lorelei ; retour à Strasbourg dans l'après-midi en car.

monographiques ou thématiques, se tiennent chaque année dans les 800 m² des trois grandes salles du musée.
Musée Würth – ZI Ouest, rue Georges-Besse - ℘ 03 88 64 74 84 - mar.-dim. 11h-18h - fermé 1er janv., 1er et 8 Mai, jeu. de l'Ascension, 14 Juil., 24 et 25 déc. - 4 € (2 €) - visites guidées gratuites le dim. à 14h30.

Bief de Gerstheim

Il fut construit dans les années 1960. Les groupes à bulbe équipent pour la première fois une centrale rhénane. Le sentier nature du Langgrund, parsemé de panneaux explicatifs, permet une promenade sur l'île.

Château d'Osthouse

3 km au sud d'Erstein par la D 288. Ne se visite pas. Au 14e s., la ville d'Osthouse fut cédée à la famille des Zorn de Bulach, qui y construisit ce château. Remarquez le toit bicolore et les sculptures qui décorent l'entrée.

Benfeld

L'**hôtel de ville** de 1531 a une porte sculptée qui donne accès à la tourelle polygonale ornée d'un écusson aux armes de la ville. Son horloge à jaquemarts comprend trois personnages en chêne : le chevalier en armes qui sonne les quarts d'heure représente la Sagesse ; à gauche, la Mort retourne son sablier toutes les heures pour nous rappeler que nous sommes mortels ; au-dessus, le « Stubenhansel » est un traître qui, en 1331, aurait livré la ville aux Bavarois et aux Wurtembourgeois pour une bourse d'or qu'il tient dans la main. Remarquez la petite pendule qui retarde de 25mn par rapport à l'heure du méridien de Greenwich.

Marckolsheim

℘ 03 88 92 56 98 - www.grandried. fr - &. - possibilité de visite guidée (1h) sur demande (7 j av.) - 15 juin-15 sept. : 9h-12h, 14h-18h ; 15 mars-14 juin et

16 sept.-15 nov. : dim. et j. fériés 9h-12h, 14h-18h - 2 €.
Dans ce village où l'on peut découvrir la chapelle de Mauchenheim (13e s.) et une jolie forêt rhénane (forêt de Marckolsheim-Schoenau), le **musée-mémorial de la Ligne Maginot** rappelle le rôle et l'ambition de la ligne Maginot. Un canon soviétique, un char

Sherman, une automitrailleuse et un half-track sont exposés sur l'esplanade. À l'intérieur des huit compartiments *(attention aux seuils métalliques)* de la casemate, armes et objets se rapportant à la lutte du 15 au 17 juin 1940 : la casemate fut défendue par 30 hommes pendant trois jours. Hitler la visita après la bataille.

LIGNE MAGINOT, DÉFENSE DE PASSER...

Une nouvelle stratégie – *Pour défendre la France au lendemain de la guerre de 1914-1918, le concept de régions et de secteurs fortifiés avec des fronts de 20 à plus de 60 km s'impose, en même temps que celui de fortifications permanentes enterrées. Les différents blocs, équipés de tourelles et de créneaux de tir, doivent interdire tout passage à l'ennemi par des tirs croisés.*

Les grands travaux... et les failles de l'ouvrage – *Les travaux débutent en 1930. En moins de dix ans, 58 ouvrages sont édifiés sur la frontière du Nord et du Nord-Est, dont 22 gros ouvrages. Le dispositif est complété par 410 casemates et abris pour l'infanterie. À cela s'ajoutent 339 pièces d'artillerie et plus de 100 km de galeries souterraines. Mais la dispersion de l'effort dénature les choix originels. Et l'épaisseur des murs arrière se révélera insuffisante lorsque l'ennemi prendra certains ouvrages à revers, en 1940.*

Les hommes – *Les gros ouvrages étaient reliés à des dépôts de munitions par des voies ferrées électrifiées, empruntées aujourd'hui par les visiteurs pour parcourir les galeries. L'importance de la garnison était fonction de celle de l'élément fortifié : elle pouvait aller d'une quinzaine d'hommes dans la casemate de Dambach-Neunhoffen à près de 1 200 au Hackenberg. Ces soldats appartenaient à des unités d'élite créées à partir de 1933.*

Dans la tourmente... – *Le fait que la ligne Maginot ne couvre pas le nord du pays par suite de considérations politiques et financières, qu'elle ne serve pratiquement pas de base offensive durant la « drôle de guerre », qu'elle ait été privée au moment crucial de ses troupes d'intervalle tenues de se replier rendra vaine la résistance de mai-juin 1940. Les équipages invaincus devront se plier aux clauses de l'armistice et prendre le chemin de la captivité.*

Illustration du Petit Chaperon rouge, par Gustave Doré, natif de Strasbourg.

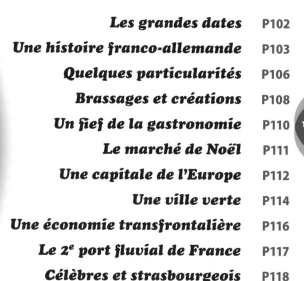

Pour en savoir plus

Les grandes dates	**P102**
Une histoire franco-allemande	**P103**
Quelques particularités	**P106**
Brassages et créations	**P108**
Un fief de la gastronomie	**P110**
Le marché de Noël	**P111**
Une capitale de l'Europe	**P112**
Une ville verte	**P114**
Une économie transfrontalière	**P116**
Le 2ᵉ port fluvial de France	**P117**
Célèbres et strasbourgeois	**P118**

101

Les grandes dates de Strasbourg

13e s. av. J.-C. – Installation de peuples protoceltes à l'emplacement de Strasbourg.

58 av. J.-C. – Jules César établit le Rhin comme frontière de l'Empire romain.

12 av. J.-C. – *Argentorate,* petit village des bords du Rhin s'émancipe et devient une cité « carrefour ».

4e s. – Les Alamans colonisent une partie de l'Alsace.

496 – *Argentorate* détruit durant les invasions renaît sous le nom de *Strateburgum,* la « ville des routes ».

842 – Serments de Strasbourg : première attestation écrite des langues française et allemande.

12e s. – Construction d'une nouvelle enceinte fortifiée et début de l'édification de la cathédrale.

1201 – Philippe de Souabe élève Strasbourg au rang de ville libre.

14e s. – La peste atteint Strasbourg. La ville se couvre d'églises et de couvents.

1434 – Gutenberg s'installe à Strasbourg.

1439 – La flèche de la cathédrale est achevée.

16e s. – Réforme protestante.

1532 – La ville adhère à la confession d'Augsbourg et devient officiellement protestante.

1618-1648 – Guerre de Trente Ans entre protestants et catholiques.

1648 – Le traité de Wesphalie reconnaît à la France la possession d'une partie de l'Alsace.

1681 – Prise de Strasbourg par les troupes de Louis XIV.

1697 – Traité de Ryswick : le Rhin est établi comme frontière.

18e s. – L'université accueille de nombreux étudiants, dont Goethe. Construction du palais Rohan.

1792 – Rouget de L'Isle compose le *Chant de guerre pour l'armée du Rhin,* la future *Marseillaise.*

1801 – Napoléon Bonaparte signe le Concordat qui organise les relations entre les Églises et l'État.

1847 – Inauguration de la ligne de chemin de fer Paris-Strasbourg

1871 – Traité de Francfort. L'Allemagne annexe l'Alsace et la Moselle. De nombreux Strasbourgeois quittent la ville.

11 novembre 1918 – Armistice ; retour des territoires annexés à la France.

17 août 1940 – Annexion de l'Alsace et de la Moselle au Reich.

23 nov. 1944 - Libération de Strasbourg par le général Leclerc.

1945 – Libération. L'Alsace et la Moselle reviennent à la France.

1949 – Fondation du Conseil de l'Europe à Strasbourg.

1979 – Élection du premier Parlement européen, installé à Strasbourg.

1988 – L'Unesco inscrit le centre ancien de Strasbourg au patrimoine mondial de l'humanité.

2007 - Arrivée du TGV Est européen.

Une histoire franco-allemande

Une position stratégique

La situation de Strasbourg au bord du Rhin explique sa vocation de ville de passage, soumise aux influences romane et germanique. Cette spécificité lui vaudra d'être très tôt exposée aux événements tragiques de l'histoire (invasions, guerres…), mais aussi de bénéficier des courants d'échanges qui se créent et dont elle saura tirer profit pour rayonner et prospérer… jusqu'à devenir l'enviée capitale européenne que l'on connaît aujourd'hui.

De l'Empire romain à l'Empire germanique

En 58 av. J.-C., Jules César repousse les hommes du Germain Arioviste de l'autre côté du Rhin et fixe pour cinq siècles la frontière sur le grand fleuve : d'un côté la romanité, de l'autre le monde « barbare ». Ce qui n'est alors qu'un village installé à proximité du camp romain, devient rapidement une cité d'échanges et un carrefour entre les peuples.

Lorsque l'Empire romain décline, les incursions des Francs et des Alamans se multiplient. Ces derniers colonisent une partie de l'Alsace au 4e s., mais, battus par Clovis à Tolbiac, ils se soumettent au roi franc et à ses successeurs, les Mérovingiens.

Preuve de la place stratégique qu'occupe déjà la ville, en 842, les **serments de Strasbourg** proclament l'alliance militaire entre deux des petits-fils de Charlemagne, Charles le Chauve et Louis le Germanique, contre les visées de leur frère Lothaire Ier, qui se veut l'unique héritier du trône. Ce serment est resté célèbre pour être le premier texte officiel connu en langues romane et germanique. À la suite des différents partages carolingiens, l'Alsace est finalement intégrée dans le royaume de Germanie, puis au Saint Empire romain germanique.

L'âge d'or

À partir du 14e s., le déclin du régime impérial conduit à un éparpillement des pouvoirs. Strasbourg, sous l'autorité de son puissant prince-évêque, obtient son autonomie et connaît, de la fin du Moyen Âge au début de la Renaissance, un véritable âge d'or. Profitant du renouveau des échanges dans un monde rhénan ouvert sur l'extérieur, ville-hôte de **Gutenberg** et d'**Érasme**, elle est alors l'un des centres du mouvement artistique et intellectuel, incarné par l'humanisme, dont la diffusion est favorisée par l'imprimerie.

La Réforme protestante du 16e s. va changer la donne. Placée au cœur des divisions religieuses, Strasbourg subit de plein fouet la guerre de Trente Ans. Bien que catholique, la France de Richelieu, puis de Mazarin s'allie aux princes protestants pour affaiblir les Habsbourg et s'introduire dans les affaires de l'Alsace.

Le rattachement à la France

En **1648**, le traité de Westphalie reconnaît à la France la possession d'une partie de l'Alsace, que Louis XIV annexe ensuite par étapes, jusqu'à la **prise de Strasbourg, en 1681**. Seize ans plus tard (1697), le **traité de Ryswick** reconnaît le Rhin comme frontière et Louis XIV poursuit en Alsace une politique en faveur des catholiques, instaurant le *simultaneum* (disposition qui permet de faire cohabiter dans une même église culte protestant et catholique, comme c'est le cas à l'église Saint-Pierre-le-Vieux 🕭 *p. 68*). Plus tard, les idéaux de la Révolution sont favorablement accueillis par les Alsaciens et c'est chez le maire de Strasbourg que Rouget de Lisle compose son *Chant de guerre pour l'armée du Rhin*, la future *Marseillaise*. Par la suite,

la **période napoléonienne** renforce le sentiment d'appartenance de l'Alsace à la France. Strasbourg donne à l'armée impériale plusieurs chefs illustres, à commencer par le maréchal Kellermann et le général Kléber (🕭 *p. 118*). Sur le plan religieux, le **Concordat** (🕭 *p. 106*), survivance du Premier Empire, est toujours d'actualité.

Trois guerres et puis l'Europe

Trois terribles guerres entre la France et l'Allemagne placent ensuite Strasbourg et l'Alsace au centre de la tourmente. Le **premier conflit, en 1870**, oppose le Second Empire de **Napoléon III** et les royaumes allemands unis derrière la Prusse et son chancelier **Bismarck**. Du côté allemand, on considère que l'Alsace, relevant traditionnellement du Saint Empire romain germanique est une terre allemande, dont Louis XIV s'est abusivement emparé au 17ᵉ s. Dès les premiers jours du conflit, l'armée française est bousculée. Le général Mac-Mahon est battu à Wissembourg. Strasbourg, naguère fortifiée par

LES OPTANTS DE 1871

Le traité de Francfort (10 mai 1871) confirme l'annexion par l'Allemagne de l'Alsace et de la Moselle (sauf Belfort). Il donne le choix aux habitants d'opter pour l'un ou l'autre pays. 160 000 Alsaciens et Lorrains, parmi lesquels des nombreux Strasbourgeois, quittent alors les provinces perdues pour s'installer sur le territoire français. Environ 11 000 Alsaciens partent pour l'Algérie. D'autres enfin refont leur vie à Paris. Plusieurs d'entre eux, forts des traditions culinaires alsaciennes, finissent par y fonder certaines des brasseries (Lipp, Wepler, Drouant...) qui font encore la réputation de Paris.

DE KOUFRA À STRASBOURG

Le 2 mars 1941, à Koufra, obscure oasis du Sahara central, mais première victoire de la France libre, le futur général Leclerc fait le serment, avec ceux qui feront plus tard partie de la 2ᵉ division blindée, de « ne déposer les armes que lorsque nos couleurs, nos belles couleurs, flotteront à nouveau sur la cathédrale de Strasbourg ». C'est le point de départ d'un parcours devenu légendaire.

Vauban, doit capituler après plusieurs semaines de siège. Elle devient la nouvelle capitale du Reichsland d'Alsace-Lorraine et continue de croître. Elle garde la marque de l'influence prussienne, dont le style architectural, d'allure néobaroque, est souvent massif. Cette architecture constitue aujourd'hui la trame du « quartier allemand ». Les deux guerres suivantes ballotteront la ville frontière entre les deux nationalités. Celle de **1914-1918** éclate comme un coup de tonnerre au milieu de l'été 1914 et cause des millions de morts dans tout l'est de la France. Le jour de l'armistice, le **11 novembre 1918**, Strasbourg et l'Alsace (comme la Moselle) redeviennent françaises dans l'enthousiasme général. Dès juin 1940, la **« drôle de guerre »** entraîne à nouveau Strasbourg dans le camp de l'Allemagne, qui entreprend de « germaniser » la ville. En août 1942, le gouverneur régional allemand de l'Alsace déclare le service militaire obligatoire pour les Alsaciens. Le recrutement forcé des « malgré nous » dans la Wehrmacht ou dans la SS suscite dans la population un sentiment de rejet. Pour les Strasbourgeois, comme pour le reste des Alsaciens, la vie est difficile.

En **1944**, les débarquements alliés en France enclenchent les opérations de libération des territoires. Celle de l'Alsace se révèle difficile en raison de la détermination allemande. Au nord, le 22 novembre, Leclerc contrôle le col de Saverne et décide de foncer sur Strasbourg, qu'il atteint dès le lendemain matin. La libération rapide de la capitale alsacienne, encore très menacée, a une portée extraordinaire. Mais la ville n'est pas pour autant tirée d'affaire. La contre-offensive allemande dans les Ardennes, à partir de décembre, incite les Américains à se replier sur les Vosges. Pour le gouvernement français, il n'est pas question d'abandonner Strasbourg ! Il faut l'intervention de De Gaulle auprès du général Eisenhower pour que celui-ci accepte de revenir sur sa décision, à condition que la défense de la ville dépende entièrement de la 1ʳᵉ armée française. Jusqu'au 22 janvier, les Allemands progressent, mais à une dizaine de kilomètres de la ville, ils renoncent devant la résistance des Français. Le 9 février 1945, les Allemands finissent de repasser le Rhin. Strasbourg peut dès lors s'inscrire dans une logique de paix et voir naître les fondements de l'unité européenne.

Quelques particularités

Située aux confins des terres françaises et germaniques, soumise à l'influence du modèle jacobin et à celle du pangermanisme, l'Alsace a su maintenir un certain nombre de particularismes, symboles et traditions uniques. Ces spécificités se découvrent à travers la ville de Strasbourg et le mode de vie de ses habitants.

Architecture allemande

Une fois annexées l'Alsace et la Moselle, l'Allemagne fait de Strasbourg la capitale du Reichsland d'Alsace-Lorraine. La ville se doit de briller. Sous l'influence de Guillaume II, elle se pare d'édifices publics de style « germanique ». Édifié au nord-est de la ville ancienne d'après le projet d'Auguste Orth de 1880, le **quartier de l'Orangerie** et de l'**Université** (appelé aujourd'hui quartier impérial ou quartier allemand) présente de grandes artères arborées et des bâtiments d'un éclectisme historicisant aux styles néogothique, néo-Renaissance, néobaroque et Jugendstil. Toutes les grandes institutions allemandes y étaient installées. Ce quartier reste l'un des rares exemples intacts d'architecture prussienne.

Urbanisme contemporain

Le choix symbolique de Strasbourg comme capitale de l'Europe réconciliée après le second conflit mondial inscrit la ville dans une dynamique politique et architecturale unique. Au-delà de la noria des députés qui accourent de toute l'Union européenne lors des sessions parlementaires, les institutions du quartier européen, au nord-est du centre ancien et du quartier allemand, ont imposé une architecture contemporaine audacieuse, due à de grands cabinets d'architectes français et étrangers. Ainsi, Henry Bernard, architecte de la maison de Radio France à Paris, dirigea la construction du Palais de l'Europe. Le Palais des droits de l'homme, conçu par l'architecte britannique Richard Rogers, épouse les berges de l'Ill. Enfin, le Parlement européen est l'œuvre de l'Architecture Studio.

Concordat

Signé par Napoléon avec le Saint-Siège en 1801, il confère aux Églises un statut officiel et assure la rémunération des ministres des cultes par l'État. Ce statut est abrogé en 1905 dans toute la France par la loi de séparation de l'Église et de l'État. Mais l'Alsace et la Moselle sont alors annexées par l'Allemagne et le problème du maintien de ce régime ne se pose pas. En 1918, lors du retour de la région dans le giron français, les Alsaciens se montrent farouchement opposés à la disparition de ce qui leur apparaît comme une donnée essentielle du droit local. Le Concordat est toujours en vigueur et se traduit notamment par l'enseignement de la religion à l'école primaire et au collège (sauf si les parents demandent une dispense), l'indemnisation des ministres du culte par l'État et la nomination par décret de l'archevêque de Strasbourg par le président de la République, sur proposition du Saint-Siège. Par ailleurs, l'université de Strasbourg est l'une des seules universités publiques de France (avec celle de Metz) à enseigner la théologie.

Dialecte

Strasbourg et l'Alsace appartiennent à l'aire linguistique germanique, divisée en familles de dialectes. La « famille alémanique » couvre une partie de la Suisse, le sud-ouest de l'Allemagne et la plus grande partie de l'Alsace. L'alsacien, dialecte alémanique, est la langue pratiquée en Alsace. Jusque-là, tout est simple, sauf que les divisions politiques vont influer sur sa pratique ! À cause de la succession des annexions et des rattachements, un vocabulaire français abondant, prononcé « à l'alsacienne », s'intègre au dialecte. Quant à l'allemand, dont l'alsacien diffère sensiblement, il servait plutôt à l'expression écrite. Bien qu'il soit compris par la population, son influence sur l'alsacien a été faible. La façon dont il fut imposé après 1871 a

d'ailleurs créé un fort sentiment de rejet. Pendant tout le 19e s. et une grande partie du 20e s., l'alsacien devient un élément majeur de l'identité et de la culture régionales. En 1918, des mesures très maladroites de francisation brutale nourrissent le mouvement régionaliste et, après la Seconde Guerre mondiale, le bilinguisme français-alsacien entre dans les faits.

Aujourd'hui, l'alsacien est la deuxième langue régionale parlée en France, après le corse, mais son usage est en régression. Selon une étude de l'Insee, on dénombrait 60 % de locuteurs dans les années 1990, pour 40 % en 2002 (soit environ 500 000 adultes). Seul 1 jeune sur 4 pratique l'alsacien, et cela de façon occasionnelle. Réservé aux relations familiales ou de voisinage, le dialecte se renouvelle peu et se déprécie au regard du français. De même, en dépit de son enseignement dans les classes franco-allemandes, l'allemand est en recul chez les jeunes.

Jours fériés

Anachronisme unique en France, Strasbourg et l'Alsace, comme la Moselle, disposent de deux jours fériés supplémentaires : le **Vendredi saint** et le **26 décembre.** Cette disposition remonte à une ordonnance impériale de 1892, quand l'Alsace était sous régime allemand. Ces jours-là, beaucoup de commerces tirent leurs rideaux !

Brassages et créations

En raison de sa position géographique, Strasbourg s'est trouvée au cœur de plusieurs influences artistiques et religieuses.

L'art gothique

Au 12e s., alors que l'Île-de-France a déjà élaboré les solutions architecturales qui ont fait les grandes cathédrales, le gothique connaît en Alsace un vif succès, au point de s'affirmer comme un art régional, doué de sa propre personnalité. À partir de 1230 environ, on greffe une nef gothique sur le chœur roman de la nouvelle **cathédrale de Strasbourg**. Les statues allégoriques de l'Église et de la Synagogue, le bas-relief de la Mort de la Vierge ou le pilier des Anges, dont les originaux sont conservés au musée de l'Œuvre Notre-Dame, expriment remarquablement l'esprit alsacien du 13e s., profondément marqué à la fois par les aspirations spirituelles et les préoccupations terrestres.
À la fin du 13e s., Erwin de Steinbach conçoit pour la cathédrale une nouvelle façade sous la forme d'un mur plein doublé d'une **dentelle de pierre**. La célèbre flèche ajourée, ajoutée au 15e s., exprime le gothique flamboyant qui s'épanouit à la fin du Moyen Âge.

L'architecture domestique

L'Alsace connaît, comme l'ensemble des pays rhénans, un véritable épanouissement architectural dès le Moyen Âge, lié au développement des villes marchandes. Au début du 13e s., Strasbourg acquiert son **autonomie** dans le cadre du Saint Empire romain germanique et la ville s'affirme à travers des monuments qui témoignent de la richesse de sa **vie publique** : maison de l'Œuvre Notre-Dame (aujourd'hui musée de l'art alsacien du Moyen Âge et de la Renaissance) ; ancienne douane ; tours des ponts couverts…
La Renaissance confirme ce statut et Strasbourg se couvre d'édifices prestigieux comme l'ancienne Grande Boucherie, l'hôtel de la chambre de commerce (place Gutenberg), la maison Kammerzell, l'hostellerie du Corbeau et surtout l'ensemble du quartier de la Petite France.
Preuve de l'originalité de cette architecture issue d'influences spécifiques, l'Unesco a inscrit en 1988 le vieux Strasbourg sur la liste du Patrimoine mondial de l'humanité, comme « exemple éminent d'ensemble urbain caractéristique de l'Europe moyenne » et comme « ensemble unique d'architecture domestique rhénane des 15e et 16e s. ».

Un foyer pour l'humanisme et la Réforme

De la fin du Moyen Âge au 16e s, Strasbourg connaît un âge d'or intellectuel et artistique incomparable.

Par son rayonnement sur l'ensemble des pays rhénans, elle devient l'un des principaux foyers de l'humanisme et de la réforme protestante.

Ainsi, **Gutenberg**, originaire de Mayence, séjourne à Strasbourg dès 1434 et met au point, en 1450, le premier procédé d'impression à caractères mobiles. Profitant de cette invention, la ville voit se développer des ateliers et devient **centre de l'imprimerie** et de la diffusion des livres et du savoir. Ce rôle lui confère une place de choix dans la propagation des idées de la Réforme. Au début du 16e s., l'Église romaine est en crise et la population, influencée par les idées de **Martin Luther**, exprime son désir d'une nouvelle forme de spiritualité. Strasbourg contribue à diffuser les écrits et traités qui promeuvent cette expression religieuse différente. Place forte de la Réforme, elle devient ainsi le refuge de nombreux exilés et persécutés et voit le culte protestant triompher. Il faudra attendre 1681 et la prise de Strasbourg par Louis XIV pour que la cathédrale, symbole de la foi dans la ville, redevienne catholique.

De riches arts figuratifs

Sculpture, peinture, arts décoratifs : Strasbourg et l'Alsace ont été à l'origine de courants artistiques importants. La sculpture s'épanouit à l'ère des grandes constructions gothiques, puis retrouve une place de choix dès le 16e s., dans l'art des mausolées. Le **tombeau du maréchal de Saxe** par

Pigalle (église Saint-Thomas) compte ainsi parmi les chefs-d'œuvre du 18e s. Côté peinture, le 15e s. voit l'arrivée des premières œuvres avant que les 17e et 18e s. ne signent le triomphe du baroque. Quant à la **céramique « vieux Strasbourg »**, elle fut produite pendant tout le 18e s. Reconnaissable à son décor de fleurs, elle rencontra un grand succès de 1750 à 1780 et suscite la création d'autres faïenceries dans l'est de la France.

Un creuset d'échanges contemporain

Une visite au musée d'Art moderne et contemporain de Strasbourg suffit à prouver la vigueur de la création et la place privilégiée de la ville au cœur de l'Europe. Artistes locaux, **Gustave Doré** et **Jean Arp** s'y trouvent en bonne place, comme Max Ernst, Kandinsky ou Victor Brauner.

Surtout, Strasbourg perpétue son rôle de ville carrefour avec des **manifestations transnationales**. Les festivals européens Premières (metteurs en scène), Nouvelles Strasbourg Danse (danse contemporaine), des Giboulées (marionnettes), comme la présence du CEAAC (Centre européen d'actions artistiques contemporaines), témoignent d'un rayonnement jamais démenti. De son côté, la chaîne **Arte**, installée à Strasbourg depuis 1991, contribue à diffuser une information européenne de grande qualité.

Un fief de la gastronomie

L'Alsace cultive une tradition de bouche qui ferait presque de l'ombre à Lyon. Brillat-Savarin n'avouait-il pas que l'Alsace était « une des régions de France où [il avait] le plus salivé » ? Strasbourg incarne cette richesse, avec des produits issus de terroirs voisins et travaillés selon des recettes paysannes éprouvées.

Du salé au sucré

La **charcuterie** entre dans la composition de nombreux plats. Les **saucisses de Strasbourg**, les jambons et les pâtés sont très appréciés, tel le *presskopf*, un fromage de tête de porc. Le seigneur de la gastronomie locale est le **foie gras**, porté à la perfection par l'invention du pâté de foie, au 18e s. La **choucroute** reste cependant le plat le plus typique. Préparée avec de la charcuterie, du lard salé, des tranches de jambon fumé, des saucisses et des côtes de porc accompagnées de pommes de terre bouillies, celle de Strasbourg, au riesling, est la plus réputée. Autre star de la table, le **baeckeoffe**, mélange de boeuf, de mouton et de porc marinés dans du vin blanc et cuits avec pommes de terre et oignons. La **flammekueche**, tarte flambée à base de pâte à pain, de crème, d'oignons et de lardons, est elle aussi un plat typique. Elle côtoie d'autres spécialités comme le coq au riesling, le jambonneau grillé, la matelote aux poissons ou le bibeleskäs, fromage blanc à l'ail, oignons, ciboulette et persil servi avec des pommes de terres sautées.

Au rayon fromage, le **munster** de la montagne vosgienne est roi. Côté desserts, le choix oscille entre les tartes aux pommes, aux quetsches ou aux myrtilles et le **kougelhopf** traditionnelle brioche aux raisins secs et aux amandes.

Au choix, bière ou vin

À Strasbourg, vin et bière ne sont pas incompatibles. Avec plus de la moitié de la production française, la brasserie alsacienne est réputée. Son succès est illustré par l'existence de marques comme Kronenbourg ou Meteor et par d'excellentes petites bières locales. Le vignoble alsacien et ses vins AOC ne sont plus à présenter. **Riesling**, **gewurztraminer**, **sylvaner**, **pinot blanc**… se retrouvent abondamment sur les tables de la ville, comme le **crémant d'Alsace** ou le **kirsch**.

Des tables étoilées

La richesse de la culture gastronomique strasbourgeoise (traditionnelle ou contemporaine) se traduit par l'une des plus importantes quantités de restaurants étoilés au *Guide Michelin* en France ! Sans aller jusqu'à dépenser de fortes sommes, on appréciera aussi la table alsacienne dans les *bierstubs* (caves à bière) et les *winstubs*, à l'ambiance chaleureuse avec leurs fenêtres à petits carreaux, leurs boiseries aux murs et leurs banquettes.

Le marché de Noël

Ce marché est sans conteste l'événement populaire le plus important de l'année à Strasbourg. En quelques semaines, environ 2 millions de personnes se pressent dans la capitale alsacienne pour cette « fête » qui transforme la ville en une immense agora de couleurs et d'odeurs.

Un marché très ancien

Traditionnellement, c'est saint Nicolas qui apportait aux enfants des cadeaux. Vers 1570, sous l'influence du protestantisme qui condamnait le culte excessif rendu aux saints dans la tradition catholique, il fut décidé pour y mettre bon ordre, que ce ne serait plus saint Nicolas, mais l'enfant Jésus lui-même qui distribuerait les cadeaux. C'est ainsi que le *Christkindelsmärik* (marché de l'Enfant-Jésus) est venu remplacer celui de la Saint-Nicolas. Inspiré de l'Allemagne toute proche, le marché de Noël dure plusieurs semaines et mêle spectacles, concerts, crèches vivantes et expositions.

Une ville en émoi

Dès la fin du mois de novembre, l'ambiance exceptionnelle du marché de Noël se répand dans tout le centre ancien, sur l'île strasbourgeoise. Un sapin géant est planté place Kléber, rappelant que l'Alsace s'enorgueillit d'être le berceau de l'arbre de Noël. Il domine un « village du partage » réservé aux associations caritatives et humanitaires. Places Broglie, de la Cathédrale, Gutenberg, Benjamin-Zix, d'Austerlitz, des centaines de commerçants et d'artisans installés dans des chalets en bois accolés les uns aux autres proposent jouets et objets traditionnels de l'artisanat local. La gastronomie est bien sûr à l'honneur et l'on se régale à déguster debout, dans le froid, en famille ou entre amis, *bredele* (gâteaux de Noël alsaciens) et vin chaud. Place du Château, une patinoire attend les plus intrépides, tandis que les paroisses protestantes et catholiques proposent de nombreux concerts et manifestations artistiques.

Même si certains dénoncent la dérive commerciale, le spectacle de ces milliers de lumières qui scintillent à la tombée de la nuit, de ces balcons et façades éclairés sous les parfums d'épices et de cannelle exhale une atmosphère festive et bon enfant qui mérite à coup sûr le déplacement.

Un rayonnement mondial

Sait-on seulement que le marché de Noël de Strasbourg s'exporte à l'étranger ? Depuis 2009, à l'initiative de l'office de tourisme, il s'installe chaque mois de décembre à Tokyo : une douzaine de chalets prennent possession du quartier de Ginza. 620 000 visiteurs l'ont fréquenté en 2009. Preuve de sa notoriété, d'autres villes se sont portées candidates pour l'accueillir, comme Hong Kong, Singapour ou Rio.

Une capitale de l'Europe

Le berceau des institutions européennes

Avant même la fin du dernier conflit mondial, l'idée prend corps chez les dirigeants des pays d'Europe de l'Ouest qu'une réconciliation définitive des anciens belligérants doit s'enraciner au cœur d'une ville symbole. Strasbourg, cité frontière au bord d'un Rhin jadis hérissé d'ouvrages militaires et redevenu lien de communication, s'impose presque naturellement.

Le 5 mai 1949, dix pays fondent le **Conseil de l'Europe**. Le choix de son siège se porte d'autant mieux sur la capitale alsacienne qu'elle incarne par son histoire et sa culture l'image de la réconciliation franco-allemande. La plus ancienne des grandes institutions européennes d'après guerre tient sa première séance en 1959 au palais universitaire de Strasbourg, avant que ne soit construit le **Palais de l'Europe**. Simple organisme consultatif au départ, le Conseil de l'Europe incite ses membres à harmoniser leur législation dans différents domaines. Son travail se traduit par des recommandations aux gouvernements, mais aussi par l'établissement de conventions qui engagent les États signataires, harmonisant leur législation dans divers domaines d'intérêt commun. La plus connue est la **Convention européenne de sauvegarde des droits de l'homme** (1950). Le Conseil de l'Europe a acquis un tel prestige qu'il comprend aujourd'hui 47 pays. Le processus d'intégration européenne à Strasbourg prend aussi forme grâce à l'élan donné par deux de ses « pères fondateurs », originaires de la région, le Mosellan Robert Schuman, ministre français des Affaires étrangères, et le Rhénan Konrad Adenauer, premier chancelier de l'Allemagne d'après guerre. La vocation « européenne » de Strasbourg se confirme par la suite avec l'installation du Centre européen de la jeunesse (1972), puis de la **Fondation européenne de la science** (1974). Mais Strasbourg est surtout connue pour accueillir le **Parlement européen**.

ROBERT SCHUMAN

Mosellan, Robert Schuman (1886-1963) eut la nationalité allemande jusqu'en 1918. Riche d'une double culture, pacifiste, il cherche à surmonter les vieux nationalismes, responsables des conflits entre la France et l'Allemagne. Ministre des Affaires étrangères de 1948 à 1953, il se fait l'artisan de la réconciliation franco-allemande et le bâtisseur de l'Europe.

Élu au suffrage universel depuis 1979, il représente les peuples des 27 pays membres de l'Union européenne (en 2010) et a pour but de réaliser leur intégration économique.

À l'origine, le Parlement avait un rôle consultatif, le choix de Strasbourg comme siège de ce Parlement semblait donc avant tout symbolique. Mais l'institution a commencé à acquérir un vrai pouvoir de contrôle, quand les progrès de l'intégration ont commencé à faire sentir leurs effets dans la vie quotidienne des citoyens. Le Parlement a obtenu depuis le droit de voter le budget, puis d'accepter ou de refuser la nomination des membres de la Commission.

Avec Bruxelles, siège de la Commission européenne, et Luxembourg, hôte de la Cour de justice, Strasbourg est bien l'une des villes phares de l'Europe réconciliée.

Un quartier dédié

Comptant une dizaine d'institutions, d'organismes et de logements, regroupés au nord-est du centre ancien et du quartier allemand (Parlement européen, Palais des droits de l'homme, Pharmacopée européenne, Observatoire européen de l'audiovisuel…), le quartier européen, lancé en 1949 avec la construction du Palais de l'Europe, est la traduction urbanistique de cette volonté politique née après-guerre.

Véritable ville dans la ville avec ses bâtiments contemporains audacieux, ce quartier vibre lors des sessions parlementaires organisées quatre jour chaque mois (sauf en août et septembre). En 2008, une étude montrait ainsi qu'une session du Parlement entraînait presque 4 millions d'euros de retombées économiques pour la ville ! Conscients que le poids économique de Strasbourg n'est pas en rapport avec sa représentativité institutionnelle, les acteurs politiques locaux ont l'ambition d'y développer un quartier d'affaires international (d'ici à 2015) et de moderniser le Parc des expositions ainsi que le Palais de la musique et des congrès.

Eurodistrict, Rhin Supérieur

L'Eurodistrict Strasbourg-Ortenau (2 200 km^2, 900 000 habitants) est une initiative de gouvernance française et allemande initiée dès 2003 pour œuvrer en commun dans les domaines de la santé publique, de la culture, de la formation professionnelle, des transports et du bilinguisme. Avec pour moteur le partenariat Strasbourg-Kehl, symbolisé par l'ouverture en 2004 du Jardin des Deux Rives et de la passerelle sur le Rhin, l'Eurodistrict pourrait confirmer le rôle moteur de Strasbourg, cité « à cheval » sur l'Europe. La ville souhaite aussi s'inscrire au cœur du territoire Rhin Supérieur, une entité géographique de 6 millions d'habitants qui réunit, autour du canton de Bâle, du Bade-Wurtemberg et de l'Alsace, 167 institutions de recherche et 100 000 étudiants. Désormais, l'espace rhénan, dont Strasbourg est l'un des piliers, a plus vocation à rapprocher les peuples qu'à les diviser.

Une ville verte

Tramway et vélo rois

Un tramway, construit à la fin du 19e s., avait déjà connu ses heures de gloire à Strasbourg lors de l'entre-deux-guerres, avant de disparaître en 1960. Réintroduit par les acteurs locaux en 1994 pour diversifier les modes de déplacement urbain, il inscrit la ville dans une nouvelle dynamique de transport autour de la mobilité « propre ». Fin 2010, avec 55,5 km de réseau, 6 lignes et 69 stations, il transporte chaque jour sur son réseau – le plus long de France – près de 300 000 voyageurs.

L'ancrage du tramway dans la cité est appelé à se renforcer. Le projet de prolongation de la ligne D jusqu'à Kehl, en Allemagne, a été acté en 2009. Un tram-train, dont la mise en service est prévue pour 2014, reliera aussi le cœur de Strasbourg à l'extérieur de l'agglomération. Parallèlement, un tiers des bus urbains fonctionnent déjà au gaz.

Le vélo est aussi en terrain conquis. Avec 536 km d'itinéraires cyclables, Strasbourg et sa communauté urbaine sont la première agglomération de France pour l'usage de la « petite reine ». Si nombre de Strasbourgeois possèdent déjà leur vélo et l'utilisent volontiers pour se rendre au travail ou à l'occasion de leurs loisirs, un service de vélo partagé, Vélhop, a aussi été lancé fin 2010 pour ancrer sa pratique auprès des résidents et des visiteurs. À court terme, plus de 4 400 vélos seront mis à disposition dans l'agglomération, à travers des formules de location courte ou d'abonnements.

Voitures, la vision du futur

La préservation nécessaire du centre ancien, classé par l'Unesco en 1988 au Patrimoine mondial de l'humanité, ainsi que l'essor du tramway, ont logiquement conduit les autorités à limiter l'usage de la voiture en centre-ville. Le secteur piétonnier a été étendu dans l'île strasbourgeoise et huit parkings-relais bus-tram invitent les automobilistes à se garer hors du centre pour emprunter les transports en commun.

Un système d'autopartage existe aussi depuis 2001. Environ 2 000 abonnés « exploitent » en commun une soixantaine de véhicules répartis dans différentes stations, générant 20 000 réservations par an.

La communauté urbaine expérimente également depuis 2010 la gestion de 100 véhicules hybrides rechargeables. Conçu en partenariat avec un constructeur automobile et EDF, ce projet vise dans un premier temps à mettre à disposition ces véhicules auprès d'entreprises et d'administrations locales.

Enfin, Strasbourg soutient le projet « Cristal », développé par une entreprise alsacienne. Il s'agit d'un système de petits véhicules électriques en libre-service qui peuvent être associés, au besoin, sous la forme d'un train articulé. En 2012, la ville devrait être la première au monde à expérimenter ce procédé.

Des projets d'« écoquartier »...

Neuf projets d'écoquartiers sont en cours de réalisation ou d'étude dans l'agglomération strasbourgeoise. Trois d'entre eux sont situés sur le territoire de la commune de Strasbourg (« La Brasserie », « Danube » et « Heyritz »). Sans doute inspirés par les initiatives de l'Allemagne voisine, bien plus en pointe sur ces concepts que la France, ces écoquartiers ont été pensés pour limiter les besoins en énergie des bâtiments, inciter aux modes actifs de déplacement et favoriser la rencontre et le partage. Le projet d'écoquartier « Danube » offrira ainsi 650 logements au sein d'immeubles collectifs et donnera la priorité aux déplacements piétons, aux vélos et à l'autopartage. Primé par le ministère de l'Écologie en 2009, le projet devrait être livré en 2013.

... à l'« Écocité » des Deux Rives

Grand projet de métropole « durable » transfrontalière, l'Écocité des Deux Rives associe les communes de Strasbourg et de Kehl. À travers la promotion d'un mode de vie urbain fondé entre autres sur l'éco-mobilité, l'Écocité vise surtout à réorienter la croissance de la ville en direction du Rhin. Pendant longtemps, Strasbourg a privilégié son expansion

vers le nord, le sud et l'ouest. À ce jour, le projet s'appuie sur deux engagements majeurs : « repenser » le quartier de la gare de Strasbourg et requalifier le territoire placé entre le bassin Vauban et la gare de Kehl, en urbanisant un espace de 250 ha récupéré sur un ancien site industriel, à proximité du port de Strasbourg.

La restauration du lien entre le centre ancien et le fleuve a déjà commencé, avec l'aménagement de la presqu'île Malraux dont une tour pourrait d'ici à 2013 être le symbole. Elle sera aussi assurée par le prolongement du tramway vers Kehl, l'aménagement de la route du Rhin et une liaison interports, qui prévoit la création de cheminements piétons et cyclistes et la plantation de 580 arbres et 40 000 m^2 d'espaces verts. Pour concrétiser ce rapprochement urbain frontalier, on parle même d'un projet d'opéra qui serait, symboliquement, construit sur le Rhin...

Le projet Rhin-Ried

Ce n'en est encore qu'à l'étape de la réflexion, mais les autorités locales françaises et allemandes travaillent à l'aménagement d'un vaste espace fluvial transfrontalier. Délimité au nord par la zone naturelle protégée du Rohrschollen et au sud par le polder d'Erstein, le projet consiste à créer un parc d'aménagement naturel de loisirs qui prenne en compte la nécessité d'équipements (port de plaisance, lacs de baignade...) et la protection de la nature.

Une économie transfrontalière

Au-delà des coopérations politiques et des projets urbains, le quotidien de Strasbourg est marqué par des échanges soutenus avec l'Allemagne, générateurs d'activité.

Mots-clés

Population active à Strasbourg : près de 225 000 personnes, dont **5 500 frontaliers** travaillant en Allemagne. Plus de 25 000 habitants du Bas-Rhin travaillent chaque jour outre-Rhin, l'Allemagne étant le premier partenaire commercial du département.
Pont de l'Europe : il permet de franchir le Rhin entre Strasbourg et Kehl. **37 000 véhicules** y transitent chaque jour. Un second ouvrage, au sud de l'agglomération, a été ouvert en 2002.
Eurodistrict Strasbourg-Ortenau : 500 000 emplois et 60 000 étudiants, appelés à renforcer leurs liens.

Formation et recherche

Avec 43 000 étudiants, l'université de Strasbourg, née d'une fusion en 2009, est la plus grande de France. À vocation européenne, elle participe à des programmes de recherche transfrontaliers. Elle est à l'origine d'un cursus commun avec l'École des sciences appliquées d'Offenbourg. D'autres classes transnationales existent entre lycées professionnels, tandis que des

formations communes sont assurées entre la chambre des métiers allemande et son homologue alsacienne.

Business croisés…

Côté allemand, l'Ortenau est réputé pour l'industrie, la logistique, les médias et le tourisme. À Strasbourg, le secteur des services domine (santé, administrations, commerce, transports, finance…). Les échanges commerciaux et de travail entre les deux bassins sont importants, d'autant plus qu'une coopération existe entre les services de demandeurs d'emploi. Autres exemples : des Strasbourgeois n'hésitent pas à faire appel à des artisans allemands ou à effectuer leurs achats en Allemagne, dont les produits sont souvent moins chers. Enfin, les projets de quartier d'affaires international du Wacken et de pépinière d'entreprises franco-allemande ne peuvent qu'aller dans le sens d'un resserrement des liens.

Kehl, vivier institutionnel

On le sait peu, mais Kehl abrite aussi six organismes transfrontaliers, synonymes d'échanges au quotidien : Euro-Info Consommateurs, Infobest, Euro-Institut, le Centre de coopération policière et douanière, le Réseau sur l'énergie du Rhin supérieur et le secrétariat de la Conférence du Rhin supérieur.

Le 2ᵉ port fluvial de France

Le Rhin, canal naturel

Au cœur de l'Europe, traversant un espace peuplé de plusieurs dizaines de millions d'habitants, le Rhin est depuis longtemps un axe vital pour le transport de marchandises, en liaison avec le port de Rotterdam.

Avec plus de 300 millions de tonnes convoyées par an, c'est le premier fleuve européen en termes de transport.

Strasbourg et le fleuve, une longue histoire

Dès l'Antiquité, la navigation joue un rôle important à Strasbourg grâce au Rhin. Jusqu'au 19ᵉ s., le trafic se concentre au pied du centre ancien, sur l'Ill. L'ouverture directe vers le Rhin par le creusement des bassins du Commerce et de l'Industrie, en 1901, déporte l'activité au bord du fleuve. En 1926 est créé l'établissement public du Port autonome de Strasbourg. Quantité d'aménagements ont vu le jour depuis : terminal conteneurs Sud (1969), plate-forme Eurofret (1980), terminal multivrac (2000), terminal conteneurs nord (2004). Le port, à 40 heures de trajet en péniche de Rotterdam, s'étale sur une zone de 1 050 ha, divisée en secteur nord et secteur sud. Il concentre 320 entreprises et 13 000 emplois, il est sillonné par 150 km de voies ferrées et 34 km de routes.

Un hub multimodal

Le trafic du port n'est pas seulement fluvial. Véritable plaque tournante, il génère aussi un important trafic routier et ferroviaire. Aux 8 millions de tonnes annuelles de trafic fluvial s'ajoutent 1,7 million de tonnes de trafic ferroviaire et environ 18 millions de tonnes de trafic routier (chiffres 2009). Au total, le port autonome est un véritable bassin d'activités industrielles et logistiques dont le trafic global le place au deuxième rang des ports fluviaux en France, derrière Paris, et à la deuxième place sur le fleuve, derrière Duisbourg. Parmi ces trafics, celui des conteneurs est très développé. En 2009, 290 000 EVP (équivalent vingt pieds, unité de mesure des conteneurs) ont été traités, représentant une croissance annuelle moyenne de 10 % depuis 2000. 30 millions d'euros ont été investis depuis 2004 pour doubler les capacités du trafic conteneurs. Alors que la ville s'emploie à créer une liaison interports et à urbaniser un territoire de 250 ha, dans le cadre du projet d'« Écocité des Deux Rives » (☝ p. 115), un autre projet, « Port 2020 », ambitionne de porter à cette échéance le trafic fluvial à 5 millions de tonnes, le trafic ferroviaire à 3,6 millions de tonnes, et celui des conteneurs à 600 000 EVP, en renforçant notamment l'intermodalité.

Célèbres et strasbourgeois

Natives ou de passage, nombreuses sont les personnalités à avoir laissé leur empreinte sur la ville, bénéficié de ses richesses et de ses ressources et traversé les heures sombres de son histoire.

Jean Hans Arp (1886-1966).
Artiste majeur du 20e s., ce poète, peintre et sculpteur, est aux côtés de Tzara, l'un des membres fondateurs du dadaïsme. Né à Strasbourg d'une mère française et d'un père d'origine allemande, il porte à dessein son prénom en double, comme le signe de cette double appartenance. À Strasbourg, il contribua avec sa femme, Sophie Hauer, à la transformation de l'Aubette (1926-1928). Il participa au surréalisme avant de s'intéresser à l'art abstrait. Le musée d'Art moderne de Strasbourg possède une trentaine d'œuvres de cet esprit vif et fantaisiste qui se plaisait à dire « l'humour, c'est l'eau de l'au-delà mêlée de vin d'ici-bas ».

Martin Bucer et **Jacques Sturm**
Le premier (1491-1551), grand théologien de la Réforme né à Sélestat et le second (1489-1553), diplomate strasbourgeois, ont contribué au rayonnement européen de Strasbourg au 16e s.

Jean Calvin (1509-1564)
Le célèbre théologien protestant, chassé de Genève, séjourne trois ans à Strasbourg, de 1538 à 1541.

Gustave Doré (1832-1883)
Dessinateur de grand talent, il quitte tôt sa région natale, qui marque toutefois son imaginaire. Des contes de Perrault, aux fables de La Fontaine, il illustra nombre d'ouvrages classiques de la littérature française. Ses œuvres sont visibles au musée d'Art moderne.

Charles de Foucauld (1858-1916)
L'explorateur et religieux français fut d'abord un officier exubérant avant d'être ordonné prêtre et d'aller partager la vie des Touaregs.

Gutenberg (vers 1400-1468)
L'inventeur allemand réside à Strasbourg de 1434 à 1444 où il se forme au métier d'orfèvre avant de poursuivre ses recherches sur l'imprimerie. Ses travaux aboutissent après son installation à Mayence.

François Kellermann
(1735-1820). Ce maréchal strasbourgeois s'illustre dans la bataille de Valmy et dirige l'armée des Alpes. Il devient maréchal de France sous l'Empire (1804).

Jean-Baptiste Kléber (1753-1800)
Ce grand militaire gagne ses galons lors des guerres de la Révolution. Il se voit ensuite confier par Napoléon d'importantes missions en Égypte, où il devient commandant en chef. Napoléon disait de lui : « Courage, conception, il avait tout […]. Sa mort fut une perte irréparable pour la France et pour moi. C'était Mars, le dieu de la guerre en personne. » Balzac s'inspira de lui pour dresser le portrait du général de Montriveau dans *La Duchesse de Langeais*.

Marcel Marceau (1923-2007).
Le célèbre mime a passé son enfance

à Strasbourg. Après s'être illustré dans la Résistance, il se tourne vers la pantomine. Passionné de théâtre et de cinéma, il est le fondateur de l'École internationale de mimodrame de Paris, ouverte en 1978. Il a été reçu à l'Académie française en 1991. Son personnage de Bip, émule du Charlie de Chaplin, reste dans toutes les mémoires comme un personnage « qui se cogne à la vie, qui est à la fois un grand cirque et un grand mystère. [Marceau aimait] à dire qu'il finit toujours vaincu mais toujours vainqueur. »

Claude Rich (né en 1929)
L'acteur a tourné pour la première fois dans *Les Grandes Manœuvres* de René Clair, en 1955. Son rôle dans *Le Souper* d'Édouard Molinaro en 1992 lui valut le césar du Meilleur Acteur.

Claude Rouget de Lisle (1760-1836). L'officier, poète et auteur dramatique est en garnison à Strasbourg, en 1792, lorsqu'il écrit ce qui deviendra *La Marseillaise* (page 19).

Robert Schuman (page 112).

Albert Schweitzer (1875-1965). Né à Kaysersberg, ce musicien et professeur de théologie protestante à la faculté de Strasbourg a mené en tant que médecin un combat exemplaire contre le sous-développement et la maladie en Afrique. De retour au Gabon en 1924, il se consacre jusqu'à sa mort à son hôpital de Lambaréné. Il reçoit le prix Nobel de la paix en 1952.

Gustave Stoskopf (1869-1944). Figure imposante du « réveil alsacien » de l'Entre-deux-guerres, cet intellectuel et peintre réalise des portraits d'Alsaciens d'un grand réalisme ; dramaturge, il laisse un chef-d'œuvre en dialecte : *Herr Maire*.

Tomi Ungerer (né en 1931) Dessinateur et satiriste. Cet autodidacte acharné commence par faire des études de graphisme à Strasbourg, avant de sillonner le monde en stop et en cargo. il s'embarque pour New York en 1957 et s'installe aux États-Unis. Renommé pour ses activités d'affichiste et ses illustrations de livres d'enfants, il reste attaché à son Alsace natale, à laquelle il consacre l'album *L'Alsace en torts et de travers*. Résidant aujourd'hui en Irlande, il reste très attaché au dialogue européen, allant jusqu'à dire : « pour la première fois, Strasbourg et l'Alsace sont au bon endroit au bon moment. »

Et aussi…
Éliette Abécassis (née en 1969), écrivain ; **Fatou Diome** (née en 1968), écrivaine, installée à Strasbourg depuis 1994 ; **Goethe** (1749-1832), étudiant en droit à Strasbourg en 1770-1771 ; **Abd al Malik** (né en 1975), chanteur de rap ayant grandi au quartier de Neuhof ; **Metternich** (1773-1859), homme politique autrichien, étudiant à Strasbourg de 1788 à 1790 ; **Louis Pasteur** (1822-1895), professeur à Strasbourg de 1849 à 1853, où il épouse la fille du recteur de la faculté ; **Antoine de Saint-Exupéry** (1900-1944), conscrit à Strasbourg en 1921 où il passe son brevet de pilote ; **Marjane Satrapi** (née en 1969), scénariste et dessinatrice d'origine iranienne, passée par l'École supérieure des arts décoratifs ; **Émile Waldteufel** (1837-1915), compositeur.

A

Abécassis, Éliette 119
Accès 1
Aéroport 1
Anvers, pont 88
Arp, Jean Hans 118
Arte 83
Art moderne et contemporain, musée . . 66
Arts décoratifs, musée 54
Austerlitz, rue 72
Avion 4
Axes routiers 1

B

Baeckeoffe 110
Bain-aux-Plantes, rue 64
Bains municipaux 76
Bateliers, quai 71
Bâtiment des besoins généraux 80
Batorama 6
Beaux-Arts, musée 54
Benfeld (67) 98
Benjamin-Zix, place 64
Bierstubs 7
Broglie, place 62
Brûlée, rue 63
Bucer, Martin 118
Bus 10

C

Calvin, Jean 118
Canoë 6
Cathédrale, place 52
Cathédrale Notre-Dame 44
   Flèche 49
   Horloge astronomique 48
   Portail de l'Horloge 46
   Portail Saint-Laurent 46
   Tympan de la Mort de la Vierge 46

Centre européen de la jeunesse 82
Château, place 52
Chaudron, rue 58
Citadelle, parc 91
Climat 4
Contades, Louis Georges Érasme,
   maréchal 63
Contades, parc 90
Corbeau, cour 70
Cours de cuisine 7
Croisière sur l'Ill 6
Croisières sur le Rhin 98

D

Dégustation de vins 7
Deux-Ponts, hôtel 63
Deux-Rives, passerelle 88
Deux Rives, jardin 88
Dialecte 107
Dietrich, Frédéric 59
Diome, Fatou 119
Doré, Gustave 59, 118
Droits de l'homme, palais 80
Dürkheim, rue 75

E

École supérieure des arts décoratifs 71
ÉNA 67
Enfants 7
Erstein (67) 96
   Etappenstall 96
   Musée Würth 96
Eschau (67) 96
Eurimages 84
Europa Brücke, voir pont de l'Europe . . . 87
Europe, palais 83
Europe, pont 87
Expositions 15
Expositions temporaires 15

F

Fainsilber, Adrien. 66
Faisan, pont. 64
Festivals 13
Fêtes 13
Fil, rue 62
Flammekueche. 110
Foucauld, Charles de 118
France 3-Alsace, maison de la télévison 75

G

Galeries d'art. 15
Gambsheim, écluse (67) 92
Gare 1
Gerstheim, bief (67) 98
Goethe, Johann Wolfgang 119
Grien, Hans Baldung dit 56
Gutenberg, Johannes. 118
Gutenberg, place. 58

H

Handicap 8
Homme-de-fer, place. 60
Horloge astronomique, voir Cathédrale
   Notre-Dame 48
Hospices. 72
Hôtel de ville. 63

I

Ill, promenade 91
Institut international des droits
   de l'homme. 80
Internet. 4

J

Jardin botanique. 76
Jean-Millot, pont. 88
Jours fériés 8, 107

K

Kehl 88
Kellermann, François 118
Kléber, Jean-Baptiste. 118
Kléber, place 60
Kougelhopf 110
Krutenau, quartier. 70

L

Lauterbourg (67) 95
Lezay-Marnésia, quai. 63
Ligne Maginot, musée-mémorial 99
Location de véhicules électriques. 12
Location de vélos 10
Location de voitures. 8
Louis XIV. 49

M

Maginot, ligne (67) 99
Maison de la Région. 82
Maison égyptienne. 75
Malik, Abd al 119
Malraux, presqu'île. 86
Manifestations culturelles 13
Marceau, Marcel. 118
Marché-aux-Cochons-de-Lait, place. . . . 58
Marché-Gayot, place 59
Marché-Neuf, place 58
Marchés 8
Marckolsheim (67). 98
La Marseillaise 59
Metternich, Clément von 119
Mothern (67). 94
   Wacht, Maison 94
Munchhausen (67)
   Centre d'initiation à la nature. 94
   Delta de la Sauer, réserve naturelle 94
Musée alsacien. 70

Musée archéologique 55
Musée historique....................... 56
Musée zoologique 78

N
Noël, marché.......................... 111
Nuée-Bleue, rue...................... 62

O
Observatoire européen de l'audiovisuel 83
Œuvre Notre-Dame, musée............ 55
Offendorf (67)......................... 92
   La Batellerie, musée...................... 92
Office de tourisme 4
Orangerie, parc 90
Orfèvres, rue.......................... 58
Orphelins, place....................... 72
Osthouse, château (67) 98

P
Palais de justice 75
Palais de la musique et des congrès 83
Parc des expositions................... 82
Parkings 8
Parlement européen 82
Pasteur, Louis 119
Pêcheurs, quai 71
Petite-France, quai 66
Petite France, quartier 64
Petit train 12
Pharmacopée européenne 80
Planétarium.......................... 76
Pont-aux-Chats, place 71
Ponts couverts 66
Port autonome nord................... 88
Port autonome sud.................... 87
Poste 8
Poste centrale........................ 78

Pourtalès, parc........................ 91
Presse 9

R
Récollets, rue 63
République, place 74
Rhin, fleuve 87, 95
Rich, Claude........................... 119
Robertsau, forêt...................... 91
Robertsau, quartier 91
Rocade 1
Rohan, palais.......................... 52
Rohan-Soubise, cardinal Armand de ... 52
Rouget de Lisle, Claude............ 59, 119

S
Saint-Étienne, place 59
Saint-Exupéry, Antoine 119
Saint-Guillaume, église protestante 71
Saint-Jean, commanderie............. 67
Saint-Martin, pont..................... 64
Saint-Nicolas, quai 70
Saint-Paul, église réformée 76
Saint-Pierre-le-Jeune, église protestante .. 62
Saint-Pierre-le-Jeune, église catholique 75
Saint-Pierre-le-Vieux, église 68
Saint-Thomas, église 68
Sainte-Madeleine, église 72
Sainte-Madeleine, rue 72
Saisons 4
Salvador-de-Madariaga, bâtiment 83
Sanglier, rue 58
Satrapi, Marjane....................... 119
Sauer, delta (67)....................... 94
Schoepflin, quai....................... 62
Schuman, Robert....................... 119
Schweitzer, Albert..................... 119
Schwendi, rue......................... 75

Schwilgué, Jean-Baptiste 48
Segway 12
Sellénick, rue. 75
Seltz (67). 94
   Église. 94
   Krumacker, Maison. 94
Steinbach, Erwin de 46
Stoskopf, Gustave 119
Strasbourg, bief (67). 96
Strasbourg Pass 9
Strateburgum. 42
Sturm, Jacques. 118
Sturm, quai 74

T
Taxi. 9
Tomi-Ungerer, musée 78
Train. 4
Tramway. 10
Transports en commun 9

U
Unesco 42
Ungerer, Tomi. 78, 119
Université. 76
Urbanisme. 106
Urgences 7

V
Vaisseau, espace d'expositions. 86
Vauban, barrage 66
Véhicules électriques. 12
Vélo 10
Vieux-Marché-aux-Poissons, rue 58
Visites guidées 12
Voiture 4

W – Z
Waldteufel, Émile 119
Winston-Churchill, bâtiment. 83
Winstubs 7
Zurich, place 71

Collection Le Guide Vert sous la responsabilité d'Anne Teffo

Édition   Irène Lainey

Rédaction   Philippe Bourget, Anath Klipper, Annabelle Lebarbé, Laurent
                     Gontier, Sophie Pothier, Julie Wood

Cartographie   Gaëlle Bouthier, Josyane Rousseau, Stéphane Anton,
                     Michèle Cana, Isabelle Delouvy.
                     Plan détachable réalisé d'après les données TeleAtlas.
                     © TeleAtlas 2010

Conception graphique   Laurent Muller (couverture et maquette intérieure)

Relecture   Élisabeth Paulhac

**Régie publicitaire
et partenariats**   michelin-cartesetguides-btob@fr.michelin.com
                     *Le contenu des pages de publicité insérées dans ce guide n'engage
                     que la responsabilité des annonceurs.*

Remerciements   Office de tourisme de Strasbourg, Didier Broussard, Hervé
                     Dubois, Maria Gaspar, Pascal Gougron

Contacts   Michelin Cartes et Guides
                     Le Guide Vert
                     46, avenue de Breteuil 75324 Paris Cedex 07
                     ℰ 01 45 66 12 34 - Fax : 01 45 66 13 75
                     cartesetguides.michelin.fr

Votre avis nous intéresse   Rendez-vous sur votreaviscartesetguides.michelin.fr

                     Parution 2011

ViaMichelin

Evitez les bouchons avec ViaMichelin Trafic pour iPhone

Téléchargez gratuitement ViaMichelin Trafic sur votre iPhone et accédez en un clic à l'information trafic en temps réel sur le territoire français :

- **conditions de circulation,**
- **aspects de sécurité** (bouchon, trafic ralenti, etc.),
- **imprévus de la route** (accidents, travaux, etc.),
- **affichage de tous les radars fixes.**

Depuis un iPhone ou un iPod Touch :
Tapez « ViaMichelin » dans App Store pour accéder à l'ensemble des applications ViaMichelin. Le téléchargement nécessite de posséder un compte iTunes.

MICHELIN
Une meilleure façon d'avancer